# 把害羞

## THE HIDDEN FACE OF SHYNESS

作者◎【醫學博士】富蘭克林・史克尼爾 (FRANKLIN SCHNEIER M.D)
【哲學博士】勞倫斯・威寇伍茲(LAWRENCE WELKOWITZ PH.D)
譯者◎王介文　審訂◎江漢光醫師

# 藏起來

〔作者序〕

# 何謂社交恐懼症？

社交恐懼症是一隻複雜的野獸。

——富蘭克林・史克尼爾

海洛感到不對勁。他滿臉通紅，心跳加速，而且雙手顫抖得如此厲害，以至於幾乎把飲料灑了出來。一剎那之間，他記不起來原本想要說的話，而當他好不容易想清楚之後，卻又發現舌頭打了結。周遭的一切似乎變得模糊不清。

你可能會以爲，海洛的情況是由心臟病發作或中風所引起，然而這兩種病症他都沒有。相反的，他是在擔心，他周圍的人可能會覺得他笨拙而可憐。如果再多提一則資訊，那麼這個奇怪的情節其實並不是沒有道理：海洛正要在他朋友的婚禮上向新郎新娘敬酒。

在對人們最大的恐懼所做的調查中，害怕在公開場合說話，往往排名第一位，甚至比人們對死亡的懼怕還要嚴重。大部分的人都經歷過對困窘的輕度恐懼，不過社交恐懼對人們的生活所造成的傷害，卻停留在沒有多少人知道的階段，這便是害羞不爲人知的另一張臉。那些極度容易害羞的人們只有偶爾——像是在婚禮上向別人敬酒——會體驗到短時間的恐怖。對其他許多人而言，社交恐懼潛藏於更爲普遍的場合之中，像是在一個派對上與某人接觸，或是在會議中發表意見。而對數以百萬計的美國人來說，對這種一成不變、令人癱瘓的恐懼，每天都會爆發——坐下來午餐、跟老闆見面，或甚至是和朋友交談。

在我們的臨床經驗裡，我們經常見識到害羞不為人知的另一張臉所造成的嚴重後果，也就是它的受害者所遭受到的重創以及所喪失的機會。我們將要訴說的故事包括：一位資深演員由於上台時會怯場而毀了自己的前途；某位具有男子氣概的刑警，每當必須在法庭中做證時，便會被焦慮折磨好幾個禮拜；一位迷人的女士只因為當她吃東西時若被別人看到，手就會發抖，因而一概回絕男士們的邀宴。當社交焦慮導致長期的痛苦或干擾到生活中的活動時，它便被視為一種病症，稱為『社交恐懼症』。

許多在其他方面很能夠適應環境、並認為自己只是有點害羞或一點都不害羞的人們，可能會由於某個社交或公共場合所帶給他們的焦慮，而突然間變得寸步難行、一籌莫展。他們有可能因為猶豫的時間太長，而失去了交朋友或簽訂合約的良機。社交焦慮的影響也許會使他們迴避與別人的交談或甚至捨棄一個需要在公開場合說話的絕佳良機。不過現在，無論是輕微或嚴重的社交焦慮，皆能夠獲得專業的協助。

『害羞』和『社交焦慮』這兩個用詞的定義，因人而異。在本書中，它們可以互通，都是意指各式各樣的社交及表演恐懼。然而，『社交恐懼症』這個用詞的定義則較為嚴格。社交恐懼症患者極為懼怕經歷困窘或屈辱的狀況，而且他們會感到極大的痛苦或是想要避開社交或公共場合。社交恐懼症的恐懼可以被限制於一個重要的場合，像是主持工作會議，或甚至干擾到日常生活中的活動，像是到市場買菜或打電話。

心理衛生專業人士一直到最近才了解，社交恐懼症非常普遍，不僅帶給患者極大的痛苦，有時還會使他們失去行為能力。這個新覺醒帶動了一波研究社交焦慮及較嚴重的社交恐懼症的熱潮。最後大家發現，社交恐懼症是一隻複雜的野獸。在本書裡，我們將會探討它與以下所列數點的關聯：我們的進化史、我們身體及腦部的化學物質、我們的生活經驗、我們日常的社交習慣、我們如何看待自己和別人，以及我們整個社會的價值觀。

在醫學史上，對於一種疾病的研究往往會導致對正常功能運作的新發現。譬如，以胰島素治療糖尿病的這個發現，使我們了解到，糖尿病是一個正常系統所發生的紊亂，在這個系統裡，血糖由胰臟所分泌的胰島素（一種荷爾蒙）所調節，因此，並不令人訝異的是，最近在社交恐懼症所做的發現，也有助於使我們認識並對付較為輕度的社交焦慮。社交恐懼症似乎是人們正常的社交焦慮系統，抓狂的結果。

我們二人開始對這些問題感興趣，是當我們於一九八〇年代中期正要完成我們在精神病學(Franklin Schneier)及心理學(Lawrence Welkowitz)的專業訓練之時。『社交恐懼症』一詞已經在一九七九年正式登錄於『美國精神醫學會』的診斷手冊裡，而在一九八五年，精神科醫師麥可・利鮑爾茲的『社交恐懼症：回顧被忽視的焦慮疾病』一文在學術界的發表，使大家意識到此一問題需要做進一步的研究。這就好像是一盞聚光燈已被打開，因為之前我們已經知道，我們的一些病人為嚴重的害羞或困窘所苦，不過我們卻對治療此一問題的方法一無所知——事實上，當時這些療法幾乎並不存在。我們兩人都參加了利鮑爾茲醫師在紐約州立精神研究院焦慮症門診的研究小組，而且自此時起，我們便一直在研究社交恐懼症及它的治療方法。

在我們的研究及臨床經驗中，我們已經看到數以百計的人們由於極端的懼怕困窘，而深受其苦。我們的病患對這樣的恐懼感到非常迷惑，因爲他們認出它的強度與他們所遇到的實際狀況根本不成比例。有些患者尤其爲特定的社交焦慮症狀所困擾，像是臉紅或過度流汗。其他人則最關心他們的恐懼及迴避所造成的後果，像是沮喪或寂寞、工作上的問題，或是不容易與他人建立良好的關係。不過，這些人所共同擁有的則是一個我們大家都會關心的問題：別人會怎麼看我們——只是他們操心得太過度而已。

雖然社交恐懼症患者所經歷的症狀，與一般人在感到『正常的』困窘或自我意識之後，所發生的症狀相似，但是他們的焦慮可一點建設性都沒有。除了感到痛苦之外，他們事實上還會喪失發揮潛能的機會，無論是在社交或是在工作場合上。

譬如，克樂怡很怕老師在課堂上請她發言，於是只好放棄上大學的機會。陶德曾經結束兩次與善體人意的女子所建立起來的前景看好的關係，只因爲他擔心，焦慮有可能使他在性事上表現不佳。傑姬想盡辦法使自己看起來一切正常，而打從心底她卻以自己爲恥，因爲她背地裡用酒精在『自我治療』她的社交焦慮。泰德把自己的生活建構於恐懼的周圍，他主動放棄升遷的機會，原因是新工作需要他在公開場合發言。對其他人而言，這些問題並沒有那麼嚴重。如果患者的焦慮只局限於某個特殊狀況，像是在台上表演，那麼他們在躲開所懼怕的場合之餘，便還能夠過著美滿、成功的生活——倘若他們的逃避不會造成負面的影響。在所恐懼的狀況之外，他們甚至還可能是交際高手。

然而，大部分有社交恐懼症的人，都會試著避免把別人的注意力吸引到自己的身上來。即使是有正面意義的注意力，像是唱一曲『生日快樂歌』，患有社交恐懼症的人通常喜歡淡入背景裡。但是變成場景的一部分之後，就可能很難有機會與別人會面或維持友誼，或是在工作成就上得到上司的認同。

這個緘默的另一個後果是，社交恐懼症此一話題很少會被公開討論。害羞者默默受苦，一直不是新聞媒體的『熱門』話題，不過單是社交恐懼症的病患數量，便大到足夠喚起社會大衆的注意。最近一個由『國家精神衛生研究所』所舉辦的調查顯示，高達百分之十三的美國成人受社交恐懼症所困擾。這使它成爲最爲普遍的精神疾病之一。

社交恐懼症分佈極廣，雖然它曾被認爲主要是上層階級的一個問題，現今卻被指出，它影響到社會各個階層的人們。就名人或強者而言，公開演講焦慮，又稱爲舞台怯場，有可能使他們的風光事業出軌。對其他人來說，社交恐懼症可能會使他們的抱負遇到挫折（這省卻了他們成名或握權的麻煩），且限制了社交活動，讓他們連生活中最基本的滿足感都無法取得。社交恐懼症最常發生在青少年和年輕成人身上，不過各個年齡層的人們皆有可能受到它的侵襲。對患有社交恐懼症的兒童而言，到學校上課可能會成爲他們每天必須經歷的惡夢。就數十年來第一次面對約會的離過婚的中年人來說，它則可能導致孤立與沮喪。

在我們普遍看到社交恐懼症帶給病人痛苦的同時，透過撰寫此書的過程，我們已經變得更加意識到，還有許許多多的人正在跟他們自己較輕微的社交恐懼作戰。最近在某個派對上，我們兩位作者其中之一（富蘭克林）曾跟一位表面上看起來善於交際、性喜冒險的企業家聊天，當時談到了本書的主題。他羞怯地承認說，參加派對會使他感到很不舒服，而富蘭克林告訴他，他這個情形就是社交焦慮，只是他完全不知情而已。這位朋友接下來遇到的是一個成功的律師，這位先生聲稱，絕對沒有人可以讓他走上台去演講。然而，他笑了一聲之後補充說道，他的太太是位教授，很喜歡對著一大群的聽衆演說，不過當她一想到必須邀請一對夫婦到他們家裡用餐時，卻會害怕得全身顫抖。接著下去富蘭克林又一串鬥的問了他的下一個談話對象，當地的一個政治人物，在他的同僚裡，是否有任何人爲『困窘恐懼』所苦。『沒有，』他微笑說道，『不過假如你聽到他們說話的內容，你將會同意，他們的確是身處困窘恐懼的情緒之中。』

雖然社交焦慮普遍存在，困擾著社會（幾乎）各個階層的人們，很令人驚訝的是，直到最近十年，社交恐懼症才逐漸爲大家所認識。精神科醫師和心理學家之所以對它不甚了解的原因之一乃是在執業過程中，他們很少見到這種症狀——患有社交恐懼症的人很少會尋求治療。對一個與困窘及屈辱有關的疾病而言，這並不令人訝異，有些患者以他們自己的恐懼爲恥——或是擔心治療師不會認眞看待他們的病症，擔心他們會被告知他們『只是容易害羞而已』。我們曾經收到文詞並茂的信函，描述著社交恐懼症帶給寫信者極大的痛苦，然而他們卻無法冒著困窘的危險，親自把他們的故事告訴別人，甚至是治療師。

在過去十年裡，心理衛生專業人士對研究社交恐懼症的興趣，已經大幅提高。臨床醫師現在能在執業過程中，把這個問題辨認出來，而研究人員則正在發展及試驗各種新的療法。對我們二人而言，這是一個研究社交焦慮的大好時機，而且可以在治療這類病症的患者時，獲得可觀的收穫。

不幸的一點是，研究室所發現的成果，並非很快便能被社會大衆接受。一方面由於大衆對精神疾病總投以異樣的眼光，另一方面由於社交恐懼症患者對困窘特別敏感，正確知識的傳播過程往往會遇到不小的挫折。任何一位電視脫口秀的主持人，都比較容易找到一些例子來告訴觀衆，他們爲何喜歡虐待他們的配偶，而比較不容易找到例子來訴說，他們私底下是如何辛苦地在與嚴重的『困窘恐懼』戰鬥。

在本書中，我們會轉述我們從病患和求診者那邊所得知的故事。雖然對某些社交焦慮和恐懼症的了解還不是那麼的明確。我們會運用熱誠的研究人員及臨床醫師在該領域所發現的豐富成果，嘗試以有意義的角度來訴說這些故事。我們也會提供一個特定的方案來幫助讀者克服他們的社交恐懼，並討論有關對付社交恐懼症的有效專業療法的實情。

〔引言〕

# 最人性的恐懼

準備好一張臉，來面對將與你相遇的自己這張臉。

——T. S. 艾略特

莉迪亞在二十四歲時，跑來我們的診所，因爲她覺得她無法再忍受自己對困窘的恐懼。她總是要花很多的時間，才能夠克服初見面的害羞，才能跟別人熱絡起來。小時候，莉迪亞的家庭爲了她父親的工作需要而經常搬家，而她每每需要一整年的時間來發展新友誼以及適應她的新家。

上課時，除非老師要她發言，否則莉迪亞能夠不說話就不說話。她總是認爲自己的答案也許不夠好，倘若她說錯話或是結結巴巴，別的同學很可能當衆取笑她。在家裡，她的父母寡言而有愛心，但非常的保護她，他們不贊同她跟他們那條街的孩子玩在一塊兒。她是有設法交到一些好朋友，而且她在學校的功課也不錯，然而到了高中，情況卻變得越來越糟。

雖然莉迪亞想跟別人接觸，想要跟其他的同學一樣，能夠自自然然的和他人相處，但她漸漸發覺自己在群體中會自動把嘴巴閉上。她總是讓別人先開口，擔心如果是她自己先提出話題，那麼對方也許不會感到興趣。在舞會和派對上，她覺得非常不自在。

當男孩們邀她外出時，她往往會找些藉口來拒絕邀請。約會並不像電影所顯示的那麼有趣，她很納悶，別人是如何找話題來聊天的。莉迪亞回憶說，在她過去的約會裡，時間總是過得特別慢，跟對方眞的是話不投機半句多，而且內心緊張得要命。在參加完一個不順利的社交場合之後，莉迪亞便會扮演批判的角色。她會鉅細靡遺的檢視自己在社交時所犯的錯誤，然後責怪自己的失敗，納悶著自己當時是否有可能覺得好過一點。

隨著時間的進展，莉迪亞的確做了一些調整。大學時，即使感到害怕，她還是強逼自己參與社交活動，內心深知這樣子才對自己有益。她督促自己冒點險，試著說出心裡的話，然後看別人的反應如何。通常結果比她擔心的要好，而且她的談話技巧當然是頗有進步。不過她仍舊感到寂寞，在社交方面一直吃不開。

## 日益嚴重的惡夢

現在她正奮力地要適應一個新工作。在與老闆（是位吹毛求疵的男士）非正式的會面時，她的社交恐懼便會再度發作起來。假使她說話結巴或是外表憂心忡忡，那該怎麼辦？如果她的臉由於焦慮而扭曲，她懷疑她的老闆是否會以爲她在嗑藥。她會爲了一個即將來臨的會議而焦慮好多天。即使會議開得很不錯，莉迪亞還是傾向把自己的成功詮釋成運氣好，然後開始擔心，下一個會議會不會一塌糊塗。

更糟的一點是，她的恐懼變得越來越嚴重，甚至擴散到新的狀況裡。她更加避免參加派對，覺得自己失去了許多結交朋友的機會。她知道這聽起來很荒謬，但她甚至發現，當她進入公寓裡碰到一位中年鄰居時，她的心臟竟然噗通噗通亂跳。她擔心，萬一這位鄰居想要跟她聊天，那麼他便會留意到她那顫抖的聲音，以爲她的神經已經全然崩解掉。

莉迪亞正經歷著社交恐懼症的核心特徵，也就是，對困窘或屈辱，產生極端且不合理的恐懼。這些膽顫心驚的想法經常伴隨著焦慮的生理症狀以及對社交場合的全然逃避，它們都加起來之後，便構成了典型的徵候群。在此一徵候群裡，如果是偶爾發生一次，那麼沒有一個單一的表徵會顯得嚴重或不正常，但是當極度的恐懼和焦慮持續不退，致使一個人捨棄重要的活動以及大大地傷害了社交生活或工作時，那麼該後果便被視爲一種疾病。

## 困窘的變奏

與其說社交恐懼症是對人的恐懼，倒不如說它是對困窘的恐懼。困窘，也就是難爲情，乃是一種在社交方面更爲複雜的人類情緒之一。不像憤怒、愉快，或單純的恐懼，這種情緒需要一個自我意識的能力，而此一能力在大部分的動物身上甚或是很小的孩子身上，並不存在。它要求一種設身處地、爲人著想以及用別人的眼光看待自己的能力。伴隨困窘的思想過程，通常牽扯到你可能會被他人施以負面評析的覺知，且關心著這樣一個評析的結果。

當一個人處於令人困窘的狀態中時，他的腦海裡便可能浮現一堆健康或不健康的應對策略。這些策略從幽默或簡單的道歉，到笨拙的沉默（『最安全的方法是什麼事也不要做』）、自我貶抑（『在他們行動之前，我會先貶低自己』）、好鬥（『最佳的防禦便是攻擊』），或逃跑（『如果他們找不到我，就無法傷害我』）都有。隨著時間的進展，一個人特殊的反應可能會染上自動的屬性，以至於它們會如反射動作般出現。

以生物學的角度來看，困窘其實跟較爲直覺的生理及行爲反應有關，像是因恐懼而四肢僵硬、臉紅、羞怯的微笑，以及爲了避開眼光接觸而間歇性的往下看。這些人們所熟悉的非語言性回應方式，自動把一個訊息傳遞出去。該訊息意味著較低的社會地位，而且它似乎起源於古代的演化來源。我們稍後將會解釋，人類困窘的行爲與其他物種——譬如猴子——的某些維持社會階層的『綏靖』行爲極爲相似。對人和動物而言，這些行爲其實是在向另一個體發出一個重要的訊息：『我對你沒有威脅。我比你低下，所以你不用傷害我。』

然而，卻只有人類在這個原始的反應上，增添了好幾層的思想、社會規則，以及複雜的情感。雖然我們大家普遍皆會有困窘、屈辱，或感到受批評的經驗，但每個人對困窘的敏感度、強度，以及它的影響大小，都有極大的相異之處。這些感受在同一個人身上，隨著年紀的增長，也會有所變化。社交焦慮最初期的形式之一，乃是六個月到二十個月大的嬰兒通常會經歷到的『陌生人焦慮』，當它們看到一張陌生的臉孔時，便會受到驚嚇而嚎啕大哭。研究顯示，當嬰兒的年紀超過二十個月之後，那些表現出非常害怕陌生人的嬰兒，長大後比較有可能發展出長久的害羞及抑制。

對困窘的眞正擔憂在三歲之後表現得更加明顯，此時的孩子逐漸能夠了解『自我』這個抽象觀念。只有到了此時，他們才開始因爲試著要揣摩別人如何看待自己而受苦。這些社交擔憂往往隨著青春期所增加的社交期望或是其他帶有壓力的狀況（像是搬到一個新城鎭之後，想要結交一票新朋友）而變得更加嚴重。當擾人的生活事件，像是離婚——或甚至如升遷這樣的正面事件——把一個人逼入挑戰性高的約會或公開演講等新社交場合時，社交恐懼於是可能在成年人身上激發出來。

許多患有社交恐懼的人發現，他們的恐懼乃是由特殊的社交及公共場合所引發。一些普遍令人懼怕的場合包括登台表演；應付老板或其他權威人物；處於一個必須交談的場所，像是派對上；或單單在一個公開場合被別人觀察，像是在餐廳吃飯或只是排隊等公車。在所有的這些狀況當中，潛藏的恐懼便會圍繞著困窘或是他人所做的某種負面的評析：『她會把我看貶，』『他們會說我還不夠好，』『他會認爲我愚蠢，不想雇用我。』

認知治療師已經注意到這些個人的信仰（認爲他們自己無能社交或瀕臨社交災難的邊緣）與他們實際擁有的社交技巧（往往很優秀）之間的差距。換句話說，有些人可以在別人面前表現得相當好或是在派對上談笑風生，然而卻以爲他們自己無法說對話或做對事情。不過他們卻承認，這個負面的觀點誇大或不合邏輯。對其他一些患有社交恐懼症的人而言，當他們焦慮起來時，社交技巧的確似乎會消失殆盡。

有些人不會擔心說錯話或做錯事；只是當別人注意他們時，他們會覺得很不舒服。像是臉紅、心跳加速，以及流汗等生理症狀，有時會變成主要的問題所在——就如安的例子，她那經常發生、無法預知的臉紅，致使她由於擔心人家會覺得她怪異，而儘量避免拜訪他人；還有方斯，他怕他那建築工頭的職位將『溶解』於他開會時從額頭上所滴下來的汗水裡。當你所留意的不僅是你自己的生理症狀，還加上別人對這些症狀的反應時，你如何專心聆聽別人正在說什麼呢？這些人正試著同時觀看一個三圈大馬戲團裡表演的所有節目。對生理症狀的分心導致更糟的社交表現，更糟的社交表現增添了恐懼和焦慮的症狀，而恐懼和焦慮的症狀則造成無法專心，表現失常，如此下去便成爲一個螺旋狀的惡性循環。

## 恐懼的代價

患有社交焦慮的人往往會發展出精心設計的策略來逃避他們所懼怕的場合。卡拉發展出越來越有創意的藉口，以避開工作場所的餐廳、跟男人約會，以及任何有進食場合會出現的社交聚會，這完全是要避免讓別人看到，當她在他們面前用餐時，雙手會顫抖不已。羅哲爾是個中階經理，他非常害怕在衆人面前演講。爲了要找出藉口來推掉領導訓練工作坊的邀請，他爲自己安排了額外的文書工作。在逃避主持這些工作坊的同時，他犧牲了晉升的機會及可觀的收入。總之，許多社交焦慮患者付出了高昂的代價，只爲了要獲得他們在避開了懼怕的場合之後，所獲得的短暫寬慰。

這樣的逃避也造成了長期的嚴重後果。有一個研究曾經持續追蹤三十年來害羞和不害羞的兒童，結果發現，幼時易於害羞的男人結婚的時間會比不易害羞的男人晚上幾年。他們進入事業的時間也比較晚，且成就較小。小時候易於害羞的女人比較不可能外出工作。在另一個研究裡，在接受會診治療的社交恐懼症患者之中，有百分之六十九相信，他們的焦慮干擾到人際關係，百分之八十五說會影響課業，百分之九十二則提到會妨礙工作。而且有證據顯示，社交恐懼症成人患者的結婚率會因而降低不少。

由於如此之多的人受到如此之大的傷害，社交恐懼症所造成的問題其實比人們以前所預期的還要嚴重許多。『國立心理衛生學會』最近的調查估計，在美國超過三千萬人有過社交恐懼症中的痛苦，其他研究則報告了社交恐懼症一些高發生率的特殊『類型』。精神科醫師摩雷·史坦發現，在某個加拿大城市，百分之三十一接受調查的人認為他們自己在演說方面，比別人更容易緊張。

這些令人印象深刻的統計數字仍然無法界定出該問題的的整個範圍。如一位同事朋友所說，『我們都有社交恐懼症。』當然，這是誇張的說法，不過當甚至連瑪丹娜都在抱怨社交焦慮時，誰能夠否認它無所不在的影響力？對一些人而言，社交焦慮只是在前往派對或演說時，一個胃部翻攪的緊張經驗，然而對其他人來說，它可能是會導致無法容忍的痛苦和寂寞的一種嚴重且長久的焦慮。由於社交焦慮似乎不斷困擾到人們的生活，我們也可以運用我們在治療嚴重的社交恐懼症時所學得的經驗，來幫助人們對付日常的社交焦慮。

## 無所遁形的社交恐懼症

社交恐懼症在北美以外的地方似乎也很普遍，至少有五個洲曾經進行過翔實的調查。此一問題有趣的文化變異性似乎存在於某些國家。在日本及韓國，一九二〇年代有人描述過一種稱為『taijin kyofusho』的病症，它獨立於西方精神病學對疾病的診斷分類之外。雖然這個疾病好像與西方對社交恐懼症的概念重疊，taijin kyofusho患者經常懼怕他們會使別人感到不自在及困窘——像是藉由瞪著別人直看或是散發出令人不舒服的體味。這個對『使別人困窘』的擔心，在西方社會中比較不普遍。因之，文化態度似乎強力地影響到社交焦慮的類型及嚴重程度。

社交恐懼症並非專屬於我們這個時代。古希臘醫師希波克拉底曾經描述一位病人，『由於羞怯、多疑以及膽小，不喜歡走出家門……。他不敢跟別人在一起，因爲擔心自己會遭受虐待、侮辱、擺錯姿勢或說錯話，或是染上疾病；他認爲每個人都在觀察他……』許多時代和文化把社交焦慮視爲一個發生問題的狀況，但直到二十世紀初期，它才被定義爲一個特定的疾病。當時，法國精神科醫師皮爾・久內使用『phobie des situations sociales』這個詞來描述懼怕在以下類似場合中被別人觀察的病患：像是演說、彈奏鋼琴，或寫字。不過佛洛依德幾乎未曾提到社交焦慮這個病症，而且隨著二十世紀精神分析理論的興起，社交恐懼症退回到一個較爲籠統的恐懼類裡。這些逃避行爲被推測爲『防衛』反應，對抗一個人自己不安的性衝動或侵略衝動。

只有到了最近，社交恐懼症才被廣泛接受爲一個特定的疾病，且有明顯的起源和特徵，以及特別的治療方法。一九六〇年代，英國精神科醫師以撒・馬克斯把社交恐懼症視爲一個心理狀況，在這個狀況裡，人們害怕各式各樣別人可以注視他們或評判他們的場合。馬克斯認出這些人在逃避所懼怕的場合之後，會經歷社交及工作上的困難。

馬克斯也發現，社交恐懼症容易出現的年齡，與其他恐懼症有所不同。不像一些特定的恐懼症，如對蜘蛛的恐懼或是對黑暗的恐懼，這兩種恐懼症皆發生在童年早期；或是廣場恐懼症（懼怕處於一個萬一發生驚慌時，便會很難逃走的地方），通常開始於二十幾歲；

社交恐懼症發生的平均年齡乃是在十五、六歲之時（雖然害羞可能在童年早期便會產生，眞正具有殺傷力的社交恐懼症比較可能發生於青春期）。這是社交恐懼症可能跟其他恐懼症非常相異的第一項證據，而且隨著它所附帶的獨特點有所不同，用來對付它的專門治療法便有相異之處。更近的研究成果已經進一步定義了人口結構、心理學、身體，以及遺傳等方面的特徵，這使得社交焦慮和社交恐懼症特立於其他形式的焦慮症之外。

美國精神醫學界基於馬克斯對社交恐懼症所下的定義，建立了診斷的標準。官方的精神病診斷統計分類手冊DSM-IV，將社交恐懼症定義爲：『對一種或多種場合的持久恐懼……在該場合中，患者暴露於他人可能的細察裡，擔心他或她也許會做出讓自己感到羞辱或尷尬的事情。』目前的定義包含了在許多社交及表演場合對人們造成的廣泛性恐懼，以及在特定的一個或數個場合所導致的各別恐懼。它將診斷的對象限制在因爲恐懼及逃避社交而致使社交或職業功能受損、或是遭受極度痛苦的人們身上。

## 害羞的幾張臉

社交恐懼症患者所懼怕的一些典型的活動——我們將會在往後的章節做詳細的探討——包括：

演說。這是最普遍的社交恐懼，它經常干擾到工作、教會或民間團體的全面參與，或甚至在家庭慶祝會上敬酒的能力。即使此人已經精通所要介紹的資料、學習了演說技巧，而且過去做過成功的演講，這個恐懼症仍舊有可能發生。

舞台表演（或稱登台恐懼）。音樂家、演員，以及其他表演者，往往在表演前或表演當中會顯得極爲緊張，擔心他們會犯錯或別人將看出他們在焦慮。大致來說，表演開始之後，焦慮感便會消失。然而，當焦慮很劇烈或導致當事人的逃避時，那麼它可能會大大削弱焦慮者的能力。高超的技巧、大衆的讚賞，以及老到的經驗，也許能夠增強信心，不過對芭芭拉·史翠珊或勞倫斯·奧立佛這樣的表演者來說，它們並無法提供社交恐懼症的免疫力，他們二人曾經公開承認，登台恐懼對他們的事業有不小的負面影響。

應付權威人物。在這裡，被懼怕的觀衆濃縮成單一的強人。在對付一位老闆、一位老師或甚至是一個店員時，這個問題最常發生。社交恐懼症患者在提出一個小小的要求時，可能會極度的擔心；他或她也許會以爲，提出要求將使自己看起來很拙、被拒絕的可能性很大，而且任何的失敗都會使自己受辱。

飲食。大部分的人並不把跟別人一起吃喝視爲表演，除非他們剛好是做菜的廚師。不過對某些人而言，在他人面前咬一口食物或啜一口湯的動作，等於是在一個客滿的體育場裡做單人秀。他們主要所懼怕的往往是因此若會打翻飲料或是顫抖得如此厲害，於別人可能留意到他們的焦慮或以爲他們瘋掉了。對一些人來說，這個恐懼擴展到所有的在外用餐，而對另一些人而言，只有在和他們認爲重要的人物用餐時，恐懼才會發生。

寫字（或書寫恐懼症）。跟擔心在公開場合吃喝的人很像，懼怕在別人面前寫字的人往往認爲，他們的手將會發抖，而且別人將會有所留意，而把他們想得很遜。在大部分的案例裡，患者可以藉由在私底下簽支票或其他文件，而躲過這個恐懼，不過在一些專業活動中，此一恐懼症有可能造成嚴重的後果。

約會。雖然跟懼怕在公開場合吃喝看起來同樣的不尋常，對我們大部分的人而言，對約會存有一些焦慮應該是很合理的。儘管大部分人在約會時都會經歷到或多或少的恐懼或猶豫，這種恐懼傾向於只是一瞬間，而且不會嚴重妨礙到浪漫關係的尋求。持久而極度的約會恐懼似乎在男性中較爲普遍，他們比較有可能覺得，約會是他們這一方的責任。除非能夠確定不會被拒絕，否則有些懼怕約會的人將儘量避免與人約會，而且他們社交活動的缺乏經常導致意志的消沉以及進一步的孤立。

公共廁所。一般來說，使用公共廁所並不被視爲一項表演或社交活動，不過對某些人而言，它可能會帶來同等的恐懼回應。這種恐懼也是男性比較普遍，而且通常牽扯到在別人面前使用小便池的自我意識。所造成的焦慮反應包括控制膀胱功能的肌肉的緊繃，致使排尿更加困難。這些人擔心別人會注意到他們沒有在排尿，並進而納悶其原因。爲了避開別人的『細察』，有這種恐懼的男性可能會避免使用公用洗手間，導致工作時因膀胱滿滿而受苦，或是偷偷進入沒人使用的廁所，要不然就是使用大號間，而非小便池。

性表現。對有此問題的人而言，臥房變成一間劇院，而床上是一個舞台。他們所懼怕的是性興奮或性高潮無法達成，進而感到顏面盡失。當充滿恐懼的心智彷彿在與不合作的肉體作戰時，所導致的焦慮當然無法改善性功能的運作。

參加考試。如果社交恐懼症患者可以把最愉快的活動轉變成考試，那麼考試本身又會變成什麼呢？這要視情況而定。恐懼集中於別人如何看待他們外表的人，往往在參加考試時不會有什麼問題，而且還可能依賴考試，來展現他們原本在班上或面談時有困難表現的能力。不過對其他人來說，考試是一個令人恐懼的表現場合。他們可能在考試前擔憂好幾個小時，而考試進行時，則會經歷噁心或心跳加速等生理症狀以及失敗的想法，如此使他們無法專心而考得更糟。

顯露焦慮症狀。這個類型包括對流汗、臉紅、發抖、聲音問題，或當衆嘔吐的恐懼。普遍的恐懼是，別人會留意到該症狀而把患者想得很遜。事實上，受苦者所懼怕的症狀往往不是根本不可能發生、不可能被注意到，就是根本不會存在有一個客觀的觀察者因此而把他們想得很糟。對發展出該生理焦慮症狀的恐懼，會致使患者過度覺知到身體的其他小感覺，製造更多的恐懼，如此而引發惡性循環。

一般的社交接觸。許多人處於社交與公開場合時，會經歷到恐懼及焦慮。這些人經常相信，他們的社交表現將無法滿足別人的期望。如此一來，當他們參加派對、開會、跟陌生人或熟人說話、在電話答錄機上留言，或甚至只是出現於公開場合的時候，都會感到很不舒服。有廣泛性社交焦慮的人有時候甚至藉由值夜班或在人少的時候逛街，來逃避與不熟的人接觸。在所有形式的社交恐懼症裡，患有廣泛性類型的人傾向於遭受最多的傷害。

社交恐懼症也有可能以下列的形式出現：

選擇性緘默，社交恐懼症有時候會先以這個罕有的疾病浮現出來，患有這個病症的兒童在學校時完全不說話，連同學也無法使他們開口。它的時間可能很短暫，也可能持續好幾年。老師和同學們最初也許會以爲，這個孩子智障或是無法發聲，然而測試的結果揭露出正常的說話技巧及智商，而且父母也報告說，小孩子在家裡說話很正常。最近的研究顯示，大部分有這種問題的孩子患有社交恐懼症，舉個例子來說，他們擔心他們的聲音會聽起來很好笑。在確認社交恐懼症往往潛藏於此一問題之後，已經帶出不少新的治療方法。

疾病所引起的社交恐懼症。某些疾病由於會引人注意而令患者困窘，可能會導致以前未曾得過社交恐懼症的人產生焦慮及逃避的行為。譬如，有些由於患有帕金森氏症而身體會震顫或青春痘問題嚴重的人，可能試著避免出現於公共場所，以逃避受辱。當社交恐懼症完全是由這種令人困窘的疾病所引發時，社交恐懼症的診斷法嚴格來說並不適用。不過此類患者仍然可能從社交恐懼症的療法獲益。

## 辨認社交恐懼症與其他問題

要探討社交恐懼症，若沒有考量伴隨它的其他問題，是不太可能辦到的。社交恐懼症患者罹患其他情緒性疾病的比率比正常人要高。由於社交恐懼症通常開始於年輕時，因此它似乎有可能帶出酗酒、沮喪，或飲食障礙等其他問題。

社交恐懼症有時候很容易與其他導致人們懼怕或迴避社交場合的問題混在一起。酗酒者最後往往落得退出社交圈。另外一個可能是，有些社交恐懼症患者在發現（至少剛開始的時候）酒精或別種藥物似乎能夠治好他們的社交焦慮時，便會開始沉溺其中。有時候，一開始只是偶爾使用酒精『自我治療』的人，最後便會養成無法控制的習慣，因此而惹出比最初的社交焦慮更加嚴重的災禍。他種藥物的濫用，像是大麻，也可能使此種脆弱體質的個人發展出極端的自我意識。

沮喪和社交恐懼症之間也有可觀的重疊之處。許多社交恐懼症患者，在長期對抗不請自來的社交恐懼之後，意志會變得極爲消沉。然而，在沒有過度社交焦慮的人們身上，單單嚴重的沮喪就可能導致社交興趣及愉悅的缺乏，因此而使沮喪者儘量迴避社交活動。不像渴望在別人身邊感到自在一些的眞正社交恐懼症患者，這些人在他人面前根本不會有焦慮的症狀；他們只是喪失了與人們相處的興趣。

表面上來看，社交恐懼症似乎與偏執狂很相像，有偏執狂的人也有可能迴避社交接觸，而且非常關心別人怎樣看他們或批評他們。不過這兩種病症之間還是存有兩個明顯的不同點。第一，偏執狂不會懼怕困窘，相反的，他們通常認爲別人惡意的把他們孤立出來。第二，偏執狂一成不變的相信，別人把他們想得很糟，而有社交焦慮的人則承認，他們自己對困窘的極端恐懼才是問題的所在。

恐慌發作，也就是極度焦慮的猝然翻騰，可能發生於社交恐懼症裡，不過恐慌症卻是一個不同的病症。在社交恐懼症當中，任何發生的恐慌發作或多或少皆與懼怕困窘有關。在恐慌障礙裡，發作通常跟社交恐懼沒有關聯，它們說發生便發生，有點像是青天霹靂。恐慌症患者往往擔心他們可能在恐慌發作中死掉或暈倒，而且他們通常會因爲有熟人在一旁而感到舒服一些。而社交恐懼症患者通常知道他們的焦慮不會直接造成生理上的危險，發作時，他們寧願自己一人或是躲藏於群衆之中。

並不令人驚訝的，社交恐懼症常常跟其他一些會使人們極度擔心他們的外表的病症一起發生。患有神經性厭食症這類飲食疾病的人，即使他們並沒有超過平均體重，還是會擔心別人因爲他們太胖而把他們想得很遜。患有身體畸型障礙的人，會過度在乎他們外表上的一個很小很小的瑕疵，以至於鼻子上的一個小痘痘在他們自己的眼中，可能會像是極度令人困窘的顏面畸型。

最後，一直有人在爭議，在理論上，到底是要把社交恐懼症視爲一個在生命中時來時去的狀態，還是把它看成一個更爲持久的人格特徵。在眞實生活裡，這樣的狀態和特徵會無可避免的有所重疊。當社交迴避特徵變得很極端時，它們便被稱爲『趨避性人格違常障礙』。社交恐懼症患者往往覺得，他們的趨避症狀是他們個性中根深柢固的一部分，然而最近的研究顯示，即使看起來很像是個性特徵的障礙，仍然會有療法可以去治療或改變它。

有趨避個性的人，很像社交恐懼症患者，會因爲缺乏人際關係而感到難過，不過他們可能無法認出，這個問題源自於他們自己的行爲。他們甚至可能覺得迴避社交活動是理所當然的事情，心裡暗忖『別人是這麼的不可靠，這麼的吹毛求疵，怎麼還會有人喜歡社交呢？』而社交恐懼症患者則把他們的麻煩歸咎於他們自己。他們因爲恐懼和焦慮使他們無法享受愉快、有意義的活動，而感到非常的痛苦。他們想要走出來，想要有所改變，想要好過一點。

CONTENTS

# 1

# 社交焦慮的幾張臉

# 演說恐懼

『主啊，我（摩西）平素不是個會說話的人……我本是拙口笨舌的……』耶和華對他說：『我必賜你口才，指教你所當說的話。』

——出埃及記

人腦是很神奇的東西，雖然從出生的那一刻起，它便開始運作，但直到你第一次站起來演講為止，它才顯出其運作的功能。

——何爾德．哥雄

## 銀行家芭芭拉

芭芭拉四十五歲，身分是銀行家兼太太兼媽媽，她來我們的診所，要求我們幫她消除她每次主持會議時都會遭遇的駭人感受。她滿臉通紅、面部肌肉抽搐、雙手變得濕黏，心臟則跳得很厲害。當她跟一群人一塊吃飯時，同樣的症狀也會發生，因此她養成了獨自一人在辦公桌用餐的習慣。與陌生人會面有時候也會不順利，不過一旦芭芭拉打開僵局，便能夠跟對方建立起親密、良好的關係。她認為她自己在非團體的場合中，總是堅強而可靠。在我們第一次的會議裡，芭芭拉的焦慮症狀一點都不明顯，她解釋說，她的恐懼在一對一的場合中，幾乎不會浮現，尤其是當她覺得對方很能體諒別人之時。

不像我們所見過的許多病患，芭芭拉似乎一開始便有一個明顯的基本恐懼原因。小時候，她曾經因爲口吃而被別人惡意嘲笑，當時她感到很丟臉。後來芭芭拉的口吃完全消失，而且她逐漸丟棄說話時過度的自我意識。然而，當芭芭拉對屈辱的恐懼在二十幾歲再度發作時，它們並非由於她擔心自己會結巴而引起的。相反的，她擔心當她在團體面前演講時，別人會留意到她的臉紅及抽搐，而且她怕他們會認爲她沒什麼能力。

芭芭拉自願參加一個社交恐懼症的研究計劃，該計劃是要測試『Nardil』這種藥的療效（我們將在第十九章探討社交恐懼症的醫藥療法）。在長達十六個星期的研究過程中，她有了明顯的改善，在演講或社交時，變得完全不會有焦慮症狀產生。她在主持工作會議時的表現，使得幾位朋友開始稱她爲『全新的芭芭拉』。

然而，在會議即將來臨之前，她仍然發現自己在擔心，焦慮可能會干擾到她的表現。我們決定在十六個星期之後，還是繼續讓她吃藥，看看她是否能夠在加長的治療期間裡，『拋棄』她的一些恐懼。我們希望如此一來，她便可以在我們停止用藥之後，有最佳的機會維持治療後的效果。在六個月的治療之後——在這段期間裡，她獲得更多的自信——我們先是減少然後停止施藥，而之後她也沒有失去演講及社交能力。

在病患離開治療之後，我們經常會納悶他們過得如何。從前的病患偶爾會打電話來問好，且讓我們了解他們進展得還不錯。更常發生的是，某人會在問題復發的期間裡，打電話給我們，看看他是否可能獲得額外的治療。然而最常發生的事情則是，那些痊癒的人回到他們的生活圈之後，我們再也沒有聽到他們的消息。我們很少會知道他們個人的進步有無持續下去，還是已經中斷下來。因此，在芭芭拉離開治療一年之後，我們很滿意的從一位研究助理那邊聽到，他曾經在電視上看到她，她竟然是『危險』這個節目的參賽者！

## 硬漢子

大家對社交焦慮最普遍的一個錯誤印象是，它總是發生在膽小、沒安全感的人們身上；在每一隻顫抖的手背後都有一束無能、被恐懼所折磨的神經。泰德與這樣的形象並不符合。這位刑警四十歲，身材修長、英俊而壯碩，做事很有魄力。當我們在討論他的情形時，他根本就是自信的化身。他很冷靜，說起話來有條不紊。雖然工作有危險性，有時還夾雜著暴力，不過他卻能夠應付得很好。他所不能夠再忍受的事情是，他對演講的恐懼感。

如果泰德預料會有十個以上的人將出現於法庭，他便會大費周章，想盡一切的辦法，只爲了要逃避到法庭上做證這項任務。當他眞的當衆說話時，他的胸部會緊繃、注意力無法集中（他說他的腦海會『一片空白』）、汗流浹背、聲音發抖，另外再加上一張乾巴巴的嘴。而且一旦上法庭的日期敲定之後，泰德會在出庭一個月之前就開始擔心害怕，怎麼做都無法把這件事拋在腦後；雖然他當時正因爲表現優良而獲得上級的嘉獎，他卻一心避開高昇的機會，原因是，升職意味著更多的出庭——或是，如泰德自己所說的，『更多的折磨』。

這個問題已經跟了他二十年，他從未向任何一個人提起過。即使他太太也一無所知。

泰德相信，假使他向老闆揭露這個問題，他的事業一定會變得更糟糕。倘若大家知道他正在看心理醫生，他鐵定會很丟臉的被要求繳回武器，換一個坐辦公桌的職位——這完全是演說焦慮所造成的！我們談到了一些治療方法，泰德說他會考慮看看。不過他從未回到我們的診所接受治療。

其實泰德的顧慮並不是沒有道理。雖然我們的社會終於已經能夠接受人們尋求心理治療，但即使是輕度的精神疾病似乎仍會被投以異樣的眼光。如果患者是男性，這個眼光會更加強烈，假使是在那些標榜男子氣概的圈子裡發生，那麼異樣的眼光將會是最強烈不過了。很諷刺的是，那些有可能因為有社交焦慮問題而受辱的人，正好也是有可能因為接受心理治療而遭到最多羞辱的人。幸運的一點是，由於社會大眾對這類疾病及它們的療法有更進一步的了解，整個情況已經逐漸好轉。

## 發抖、恐懼及錄影

我們都經歷過社交焦慮。我印象最深的一次是，當我以一位焦慮『專家』的身分，初次出現於電視的脫口秀節目上之時。同我一塊被邀請的還有『美國焦慮症協會』會長杰蘿琳．羅斯，以及兩位我們診所的病患。獲得上電視的機會很令人興奮。我知道我的家人和朋友在電視上看到我，一定會覺得很新鮮，我也可以趁機把消息告知社會中有焦慮問題的人，而且我們診所的研究計劃也能因此召募到志願者參加。被看待為專家，也使我感到很光榮，甚至覺得自己是個重要人物。

在錄影之前，我們在後台等了一會兒，所以我跟我們的病患聊起天來，其中一位我曾經治療過她的社交恐懼症。我們的診所每隔一段時間便會有媒體報導，不過每當某位社交恐懼症患者同意把他或她的故事公開給大衆知道時，我總是頗爲驚訝。倘若我最近才從社交恐懼症中康復，我可能比較喜歡安靜的與朋友和同事分享我的新自信，但我還是很欽佩那些願意伸出手去幫助別人的少數病患。

我也有和杰蘿琳說話，她在我心目中是一個非常有成就的組織的領導者，該組織成功的使得整個社會以及心理衛生專業人士對焦慮症皆有更進一步的了解。我們是第一次碰面。她非常的友善，而且能言善道、精神飽滿、很能夠上鏡頭。我們互相交換我們從前的媒體經驗——我的幾個簡短的訪談以及她巡迴全國的演說和她自己在華盛頓特區所主持的脫口秀廣播節目。暗地裡我感到有些不安。在小小的電視螢光幕上，我如何跟這位深具魅力的媒體寵兒相匹敵呢？當我感到我的焦慮升起時，我提醒自己，這是我擅長的東西，而且又不是一場比賽。我放鬆了一些，想了一下待會兒我想要傳達的重點，不過我的競爭意識還是沒有完全消退。

當我們在攝影棚坐下來、攝影機開始運轉之後，我警覺到我的頭部開始顫抖，就好像發生了一個私人地震，震央就在的我的頭顱底部。當我越擔心時，它就變得越嚴重。別人會注意到嗎？我擺出『沉思者』的姿勢，用手托住下巴。（羅丹的意思是否也是如此？）我正在想——觀衆會怎麼看待一個頭顱正因恐懼而顫抖的焦慮症『專家』！『醫生，治好你自己！』然後我的顫抖就如它來時般，迅速的消失。我暢所欲言，我們的病患故事說得也很精采，然後秀就結束了。

稍後，當我在影帶上看這場脫口秀時，我發現我的頭顯然似乎一直停留在同一個位置。我對其他幾個瑕疵不太滿意（手的姿勢太多，外表太嚴肅），不過大致來說我終於放下心來，決定讓經驗的歸經驗。此外，我還把我的錯覺記下來，打算拿這個經驗來幫助我的病患。當社交焦慮是源自於『你在別人眼中看起來如何』的錯覺時，觀看一捲錄有你自己的影帶，可能頗有療效，這個方法可以當作一個有用的自助技巧，也可以整合到心理療法裡。

# 人對人的焦慮

有人因羞怯而摧毀自己的靈魂。
——次經傳道書20：22

雖然演說恐懼通常只發生於所有社交場合中的一個小範圍內，但伴隨著廣泛性社交恐懼症的恐懼經驗，卻能滲透到受苦者生活中的大部分層面裡。就全面性的衝擊而言，這一型社交恐懼症的殺傷力可算是最大。

## 傑姬的故事

傑姬是個二十六歲的單身女子，她說她在用盡了一切的辦法，無計可施之後，才決定跑來看我。雖然長得非常迷人，而且穿著合宜，她似乎很容易害羞，輕聲說話時眼睛一下子往上眨，一下子又往地板窺視。她從小臉皮便很薄，不過較爲嚴重的社交焦慮則是在她十六歲時才變成一個令她困擾的大問題。

現在，小小的事情就會讓她產生自我意識而焦慮不已。如果她在街上瞥到一位熟人，她馬上開始擔心自己無法『應對自如』，所以她會試著避開這個人。然後她又會怕，這個人是否注意到她的逃避，因而以爲她不友善，而且她常常因爲自己的社交無能而看不起自己。參加派對是一個很大的掙扎。參加之前她會想吐，擔心她的說話結巴會使自己尷尬，而且她的朋友會覺得她是個很無趣的人。

傑姬發現酒精往往可以紓解她的派對焦慮，所以她開始在參加派對之前，喝下二到五小杯的伏特加酒。倘若沒有喝酒，她便覺得沒有勇氣參加派對。她把酒精看成是自己的『藥方』，不過她又覺得自己需要酒精很令人討厭，而且之後她還要遭受宿醉的折磨。她也了解，假使她讓自己經常依賴它，那麼她的酒癮會變得越來越嚴重。

約會是另一個困擾她的場合，因爲她相信，沒有一個好男人會要一個被焦慮搞得癱瘓的女人。傑姬的魅力、聰明，以及她的其他才華，在她自己的心目中都不算什麼，而且她以爲，正常人在第一次約會之前，不會有焦慮產生。她曾經跟幾個男的約會過，每次赴約前她都會用酒精自我藥療，不過由於恐懼的作祟，她根本享受不到約會的樂趣。傑姬往往在幾次約會之後，當她擔心無法再掩飾自己的焦慮問題時，便設法與對方分手。

傑姬在學校時功課很好，畢業後到一家大公司擔任管理工作。她在職務上表現得還不錯，不過她知道，如果她能夠克服她對『在會議上發言』的恐懼，並且跟同事交談時自在一些，那麼她還可以表現得更出色。傑姬在臨床上還不算有沮喪的毛病，不過她的士氣低落，覺得自己的自我被鎖在層層的抑制裡面。

跟許多廣泛性社交恐懼症患者類似，傑姬覺得自己無法找出一個特定的理由來解釋她爲何會發展出這些問題。她的父母親都有很高的成就，對子女的要求雖然嚴格，但從未有胡亂責罵的事情發生。而且她姊姊也是由同一對父母所教養，卻不會有焦慮方面的問題。

在她的過去，並沒有不尋常的抑制可以解釋她的恐懼。

她也並不是說未曾因爲這些問題而尋求過幫助。在三年的個人心理療法裡，傑姬學習了一些有趣的方法來與家人相處，後來並且改善了她和母親的關係，不過她的社交問題依舊沒有解決。另一位治療師把她的情況誤診爲恐慌症，並嘗試要治療像是『換氣過度』或『迴避匿名群衆』這樣的症狀，而其實這兩個問題傑姬都沒有。她試過了好幾種藥品，不過效果平平，而且她認爲它們根本不值得嘗試。

雖然傑姬在這個時候感到希望渺茫，我仍然對她的情形保持樂觀。傑姬的問題完全落入廣泛性社交恐懼症的範疇裡。我們有數套她從未試過的好療法供她選擇，全是針對她的社交恐懼症而使用的藥療法或心理療法。

一個著實令人擔心的問題是傑姬的飲酒。當然，人們使用酒精來緩解社交緊張以及在派對上放鬆心情，是常有的事情。不過，一旦有嚴重社交焦慮的人們發現酒精能夠暫時使他們放鬆，那麼酒精很快就會變成他們不可或缺的飲料。有些人喝得越兇，問題就變得越嚴重，到後來便逃不過酗酒的下場。然後他們必須面對另一個困境：他們的社交焦慮干擾到他們參加『酗酒者匿名會』這類酒精中毒治療團體的能力。在此同時，酗酒也削弱了他們運用心理療法的能力，而且致使某些用來治療社交恐懼症的藥品變得不安全。

我建議傑姬進入一個短期的社交恐懼症專門團體療法，這個療法我們會在第十八章進一步討論。在這樣的一個團體之中，她將有機會學習一些技巧來認出並改變她的恐懼的不合理之處。團體環境將能使她順利的從一些曾經有過相同問題的人們身上，獲得誠實的回饋，而且可以讓她在一個『安全的』地方，練習變得越來越有信心。由於她聰明而有魅力，而且又有強烈的慾望想要有所改變，我相信她在這樣的團體中一定可以表現得很好。她並不同意。

傑姬告訴我，她已經受夠了心理治療，以前的療法對她沒什麼幫助，而且她永遠也不會對任何一個團體承認她的恐懼，不管這個團體多有愛心。她的看法似乎極為堅定。我們於是轉換話題，開始討論當時剛開發出來、對社交恐懼症有療效的醫藥。為了給新藥一個機會，傑姬答應要停止喝酒，過去她在服藥時，也曾短暫這樣做過。

服用Paxil兩個禮拜之後，傑姬開始留意到一些好處。她在面對他人時顯然放鬆很多，而且她甚至長久以來第一次能夠享受某些社交場合。有幾天的時間她常有想吐的感覺，睡眠也不像以前安穩，不過這些副作用她還可以忍受。我們在接下來的幾個月繼續監視她的進展，她的改善變得非常明顯——而且不止傑姬一人感覺到。她的父母也有提到，她似乎比以前更有信心。她很高興自己一個星期之內有三次的約會，而她的老闆也對她的更加投入會議而讚許她。

在最初的戲劇性改善之後，往後的數個星期傑姬的舊有恐懼重新浮現，這一點我們在後續的會談裡有討論到。在接下來的幾個月裡，她可以更自如的控制恐懼感，而且當她處於以前長久所懼怕的大部分活動中時，都逐漸變得越來越自在。她仍然認為自己容易害羞，不過它不再干擾她的生活了。

# 公開吃喝的恐懼

女人絶對不要被人家看到她在吃喝，除非她吃的東西是龍蝦沙拉和香檳，唯有這兩樣食物才眞正適合女性。

——拜倫，一八一二

與另一人分享食物乃是一個不可掉以輕心的親密舉動。

——M. F. K.費瑟，一九四九

對一些人而言，一個比交談本身更大的問題乃是發生在談話之間及周圍的事情——像是吃喝。如果你想想食物的分享對一群獅子的生存或是對我們老祖先的生存是多麼的重要；或甚至你只要考慮到，爲了要紓解對不正確的餐桌禮貌的擔心害怕，人們寫了多少本的禮儀書籍，那麼你將會了解到，餐桌情境的令人產生焦慮，其實並非太不尋常。

## 懼怕吃東西以及迴避約會的女人

卡拉是個祕書，三十八歲，她記得十幾歲的時候，她的個性有些怕羞，不愛說話。她總是討厭成爲別人注意的焦點，喜歡躲藏在背景裡。雖然別人認爲她很迷人，她常常對自己外表上的一些小地方不滿意。不過這些特徵不曾爲她帶來嚴重的問題。她跟她高中時的甜心結婚，結交了幾個好朋友，生了兩個小孩，在工作上也有不錯的表現。

當她先生的飲酒及不忠的行爲變得越來越過分時，屋頂逐漸往卡拉身上塌陷下來。雖然最後她不再愛她先生，但剛開始時因爲孩子以及害怕自己一人過活這個念頭，她一味的容忍他的壞行爲。在朋友和家人苦勸了好幾年之後，她終於跟她先生離婚，試著一個人繼續過下去。

在離婚數年後，她終於同意一個朋友爲她安排約會。然而，當約會的日子一定下來，她焦慮的程度便開始擴大。從高中以來，她就沒有和人約過會，即使是當時，她的經驗也並不豐富。所有的規則都變了，她不知道如何行動。她覺得自己太老，不適合約會，而且她已不再美麗。

她的約會對象開車過來載她。他們前往一家以卡拉的標準來說，太正式、太昂貴的餐廳。她發現這位男士的話少得可憐，只是兩隻眼睛對著她猛看，這使得卡拉感到更不自在。當她的食物上桌之後，卡拉的腦海裡忽然迸出一個念頭，盤子上的義大利扁麵條跟她的小嘴比起來，似乎非常的龐大。卡拉以往在陌生人面前用餐時便會感到難爲情，不過這次她卻開始專注於如何把麵條送入嘴裡，就好像她是個搬家工人，正設法把一張巨大的沙發移入一個小門裡一樣。她過去的作法是，把麵條纏在叉子上，再用一根湯匙支撐，不過她先生經常揶揄她，說她所捲起的麵條總是多得無法塞入嘴中。『那個混球，』她暗罵。將麵條切成小段應該會比較安全，不過坐在對面的男士一定會覺得她很詭異。他問她她是不是還好，她的食物有沒有問題。卡拉編了一個故事，說她一整天都有想要吐的感覺，接著便跑進女化粧室裡。

在心情仍然緊張的狀態下，她返回她的餐桌上，她用兩隻手抓牢叉子，以穩住她的顫抖。爲了避免溢出杯子裡的水，卡拉用嘴去就杯子。她臨時又編了一個小謊，說她小時候習慣在喝東西時，將杯子放在桌上。她的約會對象好像不怎麼相信，而她則覺得自己活像個白癡。

隔天，她驚訝的發現她的緊張突然在工作場所的餐廳裡返回。她再次擔心她那顫抖的雙手會令她難堪，而且她怕大家會看出她正在崩潰。這些經歷讓她極爲困擾，以至於卡拉決定，在她對顫抖的恐懼消失之前，絕對避免到外面用餐。在家吃飯沒什麼問題，不過卡拉從來不知道她有多少必須跟別人一起用餐的機會。她婉拒了一頓早餐，希望如此可以避免把蛋屑沾在臉上。她迴避了一頓午餐、提早離開一位朋友的婚禮，就在招待餐會之前，以及試著避開凡是需要一塊吃飯的約會。四個月之後，當她仍然覺得無計可施之時，她接受了一個朋友要她去找治療師協助的忠告。

卡拉進入一個專爲社交恐懼症患者設計的短期治療小組。經由治療師的幫助，她設定一個目標，要利用該小組來試驗在別人面前吃東西，以此作爲眞實生活中在外用餐的踏腳石。在與治療師評估自己的問題以及學習一些技巧來對付她的焦慮之後，她已經準備好要練習一些新的行爲。

她的治療師幫忙安排一場角色演習，讓另一位成員扮演她的同事。卡拉的第一個目標是要在她的『同事』面前喝下一杯水，而且還要在啜飲之間跟他進行交談。演習之後，再讓她的小組評析她做得如何。雖然她成功地達成目標，不過卡拉有點失望，因爲她的手還是有發抖。小組成員報告說，她的顫抖幾乎看不出來。

過了幾個月以後，卡拉進入一個模仿社交場合的障礙課程，所用的食物越來越難處理。她逐漸從她的吃相及她的社交關係獲得信心，接著她藉由小組外的練習，轉換到一些眞實生活的社交場合中。她復原的高潮是在一個小派對上，參加者都是她在該小組中所結交到的朋友。主餐是什麼呢？當然是義大利扁麵條了。

## 對婚禮焦慮的男人

有時候，吃或喝的恐懼只有在特別有壓力的場合才會發生。我的一位大學朋友正引頸企盼婚期的到來。結婚一個禮拜之前，他看起來很快樂，期待著跟新娘子一起展開新婚生活，一點都沒有普遍的婚前焦慮產生。然而，當我們用餐時在討論婚禮如何安排之際，他偷偷地對我說，他在擔心一件事情——他的手在婚禮上可能會發抖，結婚時他必須拿著一杯葡萄酒宣誓。他怕他會把酒給溢出來，在他的親朋好友面前丟臉。

即使是我，都感到有點驚訝。大衛是個活躍的社會運動者，他做過許多場的演說。他很成功，極受敬重。我從未想過他是個容易緊張的人。事實上，老練這兩個字最適合拿來描述他。而另一方面，當我聽到有關『表演焦慮』這碼子事時，我從不會眞的感到訝異，因爲它往往出現在人們最想不到的地方。

我們離開餐廳之後，我臨時向他傳授了一些祕訣，事實上等於是一節認知行爲療法課。

首先，我們將他的恐懼一個一個列出：顫抖，溢出葡萄酒，別人會留意到，以為他很緊張，以為他懼怕結婚，而且可能在其他方面也有麻煩。

我質疑大衛的預測是不是正確，我們對他的恐懼提出一些合理的反應：他其實並不確定他是否會發抖，因為它以前沒有發生過。即使他眞的發抖了，他也不太可能會把酒溢得讓大家注意到（為了試驗這一點，我建議他『練習一下』，看看要把一杯半滿的葡萄酒溢出來，必須要顫抖得多厲害）。大衛依然認為，如果他顫抖的話，別人會發現，不過他同意，他的家人和朋友較有可能以正面的角度來詮釋此事（他的情緒太激動了），而非負面的詮釋（他有精神問題）。我建議大衛一面拿著一杯酒，一面想像結婚時的情景，運用他發展出來的新反應來對付恐懼。

最後在結婚典禮上，我忘了留意大衛是怎麼握著酒杯（或許我太專注於我自己在典禮上的責任）。然而，在招待宴會上，大衛告訴我，我們的計劃奏效了。他只練習過一次，不過『別人會接受他的顫抖』的這個想法，帶給他很大的信心。結果是沒有發抖、沒有溢酒，以及更多的葡萄酒可以喝。

# 臉紅及流汗恐懼

有因為不要而臉紅，有因為不該而臉紅，
還有因為已經做了而臉紅。
有因為想了而臉紅，有因為沒來由而臉紅，
還有因為才剛臉紅而臉紅。

——濟慈（一七九五——一八二一）

雖然公開吃喝的恐懼往往會導致顫抖這個症狀，社交焦慮的其他生理反應也可能製造出大麻煩來。臉紅和流汗就是其中最普遍的兩個。

## 臉紅的安

安很像是那些只有在電視上才看得到的奇人——二十來歲、高智商、有理想的對象、在出版界有一份扎實的工作、個性開朗、跟她的家人很親密。她的成功似乎是無可限量。不過後來臉紅發生了。

她正坐在老闆的辦公室裡，因為剛才匆匆忙忙做完報告而覺得有點緊張，此時她忽然感到臉部熱烘烘的、變得非常的羞怯，而且有一股想要馬上逃出辦公室的衝動。她的老闆注意到事情有些不對勁，在會議結束之後，他問安是不是還好。安把這件事歸之於意外，繼續過她的日子。然而六個月之後，它又發生了，然後它開始經常出現於一些場合之中，像是開會、當她在對付權威人物時，以及甚至是一般的社交談話當中。

安注意到，在每一次的狀況中，她的臉部、頸部及胸部的皮膚都會發紅，而且會起疹子，她的手掌會出汗，她的心臟則如小鹿亂撞。她覺得身體似乎不受她的控制，而且她擔心別人會以爲她瘋了。之後，她會因爲無法控制這些症狀而感到迷惑及沮喪。

她的驚慌根本不合情理。事實上，她周圍的人都很喜歡她的整體表現。在一個招待會裡，她的老闆宣佈安獲得一個驚喜獎項。突然之間，她發現自己站在一個講台上，面對著兩百個觀衆。她的臉正在燃燒，她感到很屈辱，一點也不能享受這個榮耀。她勉強湊出一小段感言來，之後大家都稱讚她說得很得體。她則驚訝自己竟然還能夠擠出話來，不過這並未減低她的痛苦。

她試過一般的心理療法，然而光談她自己的生活經驗對她並沒有什麼幫助。她開始迴避工作報告，然後是派對和其他社交活動。爲了要掩飾一部分的羞怯，她發展出一套極具個人風格的服裝，一年四季都穿著衣領扣起來的女用襯衫。似乎沒有一個方法有效。即使是到商店退貨、看醫生，或是做頭髮這種平常的活動，都變成了令她困窘的痛苦經驗。

安曾經考慮參加面談，好換個工作，不過這又使她的焦慮再度升高。她發現自己無法享受任何事情、無精打采、每天都哭，且無望的感受一直壓在心頭。除了焦慮之外，她的沮喪已經變得非常嚴重。

當安來找我們治療時，我們決定嘗試把集體治療與具有抗沮喪及抗焦慮效力的藥物結合起來，以便最迅速、有效的治療她的社交恐懼症及沮喪所引發的症狀。幾個星期之後，她注意到她的心情有明顯的改善。安的第一次參加社交恐懼症小組，使她大開眼界——她從未想到，其他看起來很正常的人們也會有同樣的問題。跟了解的人們交談讓她感到非常的自在。當她大聲說出『看到我臉紅的人會以為我發瘋』時，她忽然發覺自己的話聽起來很荒謬。在幾個月的用藥及治療之後，她的進步顯得逐漸而穩定。她的症狀減少很多，而且學會了跟殘留下來的少許臉紅和平相處。

臉紅是個有趣的焦慮症狀，這是因為它跟困窘這個情緒的關係是如此的密切。達爾文對臉紅此一生理現象頗有興趣，從一八七〇年以來，他所發表的有關這個主題的言論，現今聽起來仍然很有道理。他留意到，不像笑或皺眉，人無法由意志決定要不要臉紅，而且他認出，『引起臉紅的，並不是我們對自己外表的單純看法，而是在想別人如何看待我們的這個念頭。』

雖然他被維多利亞時期的禮儀所限制，身為自然主義者，達爾文以他研究動物行為時所有的好奇心與觀察力，來追蹤臉紅：

我很想知道身體臉紅時所擴展的程度……一位內科醫師當然經常有觀察的機會，在二到三年的時間裡，他好心的為我留意這一點。他發現，對一些臉紅時臉部、耳朵，以及頸背會嚴重發紅的女人而言，一般來說，身體發紅的部位不會再往下發展。很少會有紅到鎖骨及肩胛骨的案例……然而，派吉特爵士告訴我，他最近聽到一個例子，消息來源很可靠，有一個小女孩，由於自以為做出粗俗的動作，身體發紅的部位擴展到整個腹部以及大腿處。摩洛也提到，根據一位知名畫家所說，有一位女孩因為心不甘情不願的當畫家的模特兒，當她第一次把衣服脫掉時，發紅的部位包括胸部、肩膀、雙臂，以及整個身體。

## 汗流浹背的方斯

雖然流汗也許不像臉紅是困窘的正字標記，但它可能與臉紅是同等煩人的社交焦慮症狀，因之除臭劑工業已經成為獲利頗多的行業。

方斯經常被自己個性的不同層面所困惑。一方面，他穩健而成功——是個建築工頭，婚姻美滿，生了三個小孩，參加派對時更是說故事高手。他甚至曾經是高中橄欖球校隊的搶手隊長。另一方面，他是個有嚴重自我意識的擔憂者，由於經常極端懼怕會在公開場合顫抖及流汗，他常覺得自己有一天會被炒魷魚。

方斯記得他對雙手顫抖的恐懼，可以回溯到小時候當他還在當祭台男童之時，他必須痛苦的忍受教堂會衆的炯炯目光。高中時有一陣子，方斯擔心人們會注意到，他簽名時手會發抖，因此他簡化自己的簽名，好把時間縮短。在健康檢查時，方斯也會感到難為情，當他的血壓奇怪的升高時，他的醫師診斷他是『白袍高血壓』（面對醫師時的緊張性高血壓），要他自己在家裡，當沒人看到時量血壓。結果他的血壓其實很正常。

然而，這些問題跟方斯最近的苦難——流汗——相比，根本還不算一回事。他一直很容易流汗，不過當他升為總工頭時，流汗的症狀變得更加嚴重。有一天，他正參加一場與人爭辯的會議，他注意到自己汗流浹背，而他的對手則沒有。會議之後，他忽然有這樣的想法：流汗意味著脆弱，別人會看出他無法應付壓力。他之所以會有目前的工作，是因為他以強勢領導聞名。他非常擔心，假使他失去了這個聲譽，那麼他便會被老闆解雇，然後在他這個年紀，他必須換一個新領域找工作。他要如何付清抵押貸款呢？他要如何跟家人解釋，他們必須停止度假、孩子的大學教育……

方斯開始在每次的會議上擔心流汗問題。他越檢查自己有沒有流汗，他所找到的汗水就更多。他開始穿著淺色衣服，認為這樣子流汗就不會那麼明顯，不過這還不夠。稍後，在治療時，他甚至尷尬地承認，他曾經拿過太太的衛生棉當作腋下吸汗墊用。就是在此時，方斯決定尋求幫助來對付自己的社交焦慮。

恐懼開始直接干擾方斯的事業。如果他某一天過得不順利或是天氣太熱，他就會要他的助理幫他主持重要會議。他曾經中斷一個會議，然後衝到男廁所，偷偷用毛巾把身上的汗擦乾。他的前途似乎正在蒸發，而他的汗水則不然。

他的內科醫師眼見方斯一籌莫展，於是給他試吃一種抗憂鬱劑，不過方斯在服了幾天沒效之後，便停止用藥了。他的醫師先前未曾向他提到，這種藥得連續用好幾個星期才會有效，而且他並沒有追蹤方斯吃藥吃得如何。一位精神科醫師建議另一種有時候能夠治療社交恐懼症症狀的抗憂鬱劑，但它對方斯偏偏產生刺激流汗的副作用，因此他馬上放棄服用。另一位治療師嘗試另外一種往往對社交恐懼症有效的療法，他要方斯設下一些行為目標，像是故意把流汗問題向別人提起。這位治療師希望如此會使方斯認出，他對別人的嚴苛批評的恐懼完全是無中生有。然而，方斯覺得他的同事永遠也無法了解，再加上他的工作岌岌可危，因此他不願意採取這條冒險的途徑。

在考慮了一些選擇之後，包括另一次對一個較爲緩和的行爲療法的嘗試，方斯決定再度使用醫藥來對付問題。我們試的第一種藥物Klonopin，的確能夠大大地減低流汗的程度，不過他覺得這種藥會讓他有疲倦感，使他無法表現出最佳的辦事能力。然後他換吃另一類藥Inderal，這種藥很少影響到神智的敏銳度，這一次的結果比較理想。他在重要的會議之前都會服用此藥，當他預期開始流汗之際……結果沒有發生。他漸漸找回他的信心。一年以後，他逐漸停止用藥，發現這種藥已經帶他度過難關。

雖然方斯的恐懼症獲得了『緩刑』，他不再擔心會做出使自己尷尬的事，不過他的恐懼其實尚未消失。方斯相信，倘若未來因爲某種原因，流汗又開始惡化，他將需要以服藥來幫他對抗這個問題。爲了要使他徹底克服恐懼，我們曾經談到採用認知行爲療法。然而，目前方斯寧願維持現狀，他繼續在口袋裡放一些老掉牙的Inderal藥丸……以防萬一。

# 約會焦慮

年輕男子在女士面前根本無需難爲情。一點點意志力，再加上些許誠懇的努力，便能永遠驅逐這個缺失。

——莉蓮・艾克勒《禮儀書》一九二二

倘若克服約會恐懼如莉蓮・艾克勒在她的《禮儀書》裡所說的那般容易，我們就能夠完全跳過這一章。不幸的，對許多長期受苦於約會恐懼的人們而言，他們所收到的好意、但過分簡單的建議，其實沒有太大幫助。幸運的是，還有另外一條路可走。

## 奮戰不懈的杰里

乍看之下，杰里的生活並不像廣泛性社交恐懼症患者的生活。他是個成功的研究所學生，正在進行一個頗負盛名的計算機科學研究計劃，他有很好的朋友，外表冷靜，暑假都在當行銷員，而且甚至參加過不少歌唱團體的舞台表演。他的問題發生在約會上。儘管跟不少女孩約過第一次會，這些約會從未導向稍微成熟的男女關係。

然而，後來我們才知道，事實上杰里的一生都在跟社交恐懼症戰鬥。他贏了大多數戰役，或是至少打成令人敬佩的平手。杰里記得，在過完無憂無慮的童年早期之後，在五年級左右，他變得喜歡跟別的小孩比較。他了解到，他的衣服不夠『酷』，而且他的動作有點不夠協調，所以他開始更加留意自己的外表，且更努力的在運動方面有所成就。不過他仍然在乎別人會如何看他。

即使有這些恐懼，他繼續在學校表現優異。當他確定自己有很棒的想法時，便會在課堂上發言，不過他的老師還是抱怨他的話不夠多。他在高中合唱團裡唱得很好，雖然當他參加全州合唱團的試聽會時，表現得不如他的老師所預期的好。杰里總是有幾個好朋友以及許多熟人，但是他經常擔心別人是不是喜歡他。他怕當他在努力取悅別人時，他可能會變得如此的善體人意，活像一條變色龍，以至於人們會覺得他無趣。然而，這些顧慮沒有一個會使他跑去看心理醫生。

然後女孩子出現了。當杰里還十來歲時，他開始對她們發生興趣。他喜愛欣賞她們，幻想著約會、擁吻、做愛。不過雖然他有異性朋友，他還是不敢約會。回想起來，他了解他當時太要求約會的完美。他承認，這個目標的一個障礙是，完美的女子大概不會想和他約會。杰里其實會願意將就沒那麼完美的女性，然而他懼怕他的男性朋友會嚴苛的批評及揶揄他，他們似乎喜歡嘲笑他暗地裡欣賞的一些女孩。

杰里默默的忍受痛苦，度過高中。他的恐懼仍在，而且變得更為嚴重。他擔心自己成為一個無法適應社會的人，而且他想像自己會缺乏性愛的過完一生。他也在猜想，別人會不會以為他是同性戀者，而且他還懷疑自己是不是，即使他眞的只對女人有興趣。

有一天，一位杰里很喜歡的老師要杰里下課後到辦公室一趟。這位老師告訴他一個消息：一個很有魅力的女同學曾經提到她很欣賞杰里，希望他能邀她出去。杰里聽了之後樂透了，也有一點不好意思，竟然是他的老師來傳遞這個訊息，不過他可不想坐失良機。他約了她，他們經歷了一個典型的笨拙的第一次約會。之後，杰里對自己的笨拙感到痛心，不過他很高興他已經打破了自己的迴避障礙。

大學時，杰里比較能夠使一小群同儕看得起他，而且他敢跟一些女孩子約會。然而一層新的社交恐懼問題浮現出來：如何從閒聊移向更貼心的溝通，而不會惹來對方的批評？如何從一位紳士變成一個親密愛人，而不會因爲看起來對性太有興趣而貶損了對方？如此深思熟慮的結果，既乏樂趣，也無法建立起親密關係。

自高中起，杰里就一直在考慮爲自己的問題尋求專業幫助。然而，他以爲，一個人一定是瘋得可以了，才會去看精神科醫師。光是看醫生這個舉動就非常的令人難堪，而且不可能讓父母得知此事。萬一某位同學發現了，怎麼辦？治療師會認眞看待他的問題嗎？

因此當杰里最後決定尋求協助時，這對他來說，是一個重大而痛苦的行動。事實上，杰里決定訴諸治療而讓他自己暴露於危險之中，反映出他已經有冒險以及面對自己的恐懼的心理準備。比他所接受的傳統心理療法更能使他的生活有所改變的，是他的這個準備。而在治療時眞正發生的事情則是，杰里獲得了在無批判的環境中練習揭露自己的機會。我們對他的生活看得越仔細，我們便越會發現，杰里越想要逃避所有的冒險，他所失去的東西就會越多。過去，他一直看輕自己的優點以及誇大自己所必須冒的危險。當他在男女關係中越揭露自己時，跟他所懼怕的剛好相反，女孩們似乎越會喜歡上他。時間久了之後，他建立起自信，繼續過他的日子。

# 2

# 社交焦慮的肇因

# 社交焦慮有何用處？

人類是唯一會臉紅的動物——或是需要臉紅。

——馬克吐溫，一八九七

雖然罹患社交恐懼症的海洛等人對困窘的過度恐懼似乎極爲特殊，然而對困窘較輕微的擔憂卻會發生在許多人身上。在接觸權威人物或是遇到某個特別有魅力的人時，幾乎所有的人都會經歷或多或少的緊張。爲什麼我們大部分的人如此容易受到社交焦慮的侵襲？前文所提到的極度屈辱的經驗也許能夠解釋一些人的恐懼感，不過它們還不夠普遍，以至於無法說明爲何社交焦慮如此廣泛的散佈在社會的各個階層裡。爲了探討這種焦慮的根源，我們必須越過個人生活經驗的範疇，考慮一下整個人類進化過程中的社交恐懼自然史。

## 進化的力量

進化的力量傾向於保存能夠加強物種生存的特徵。大自然充滿著犧牲個體但卻能使族群繼續存活的行爲，這是因爲它們有益於此一物種的整體。像是工蜂，爲了蜂后的緣故，牠奉獻了一生，或是用生命來保衛雞蛋的母雞。進化可能會對某些特徵及行爲很寬容，即使它們不利於個體。

進化的力量也相當保守。一旦一個提供生存價值的特徵已經有所進化，它卻傾向於繼續存在著，即使它不再佔有重要的地位。譬如，有指甲是不錯的事情，不過它們對生存似乎沒有太大的幫助。然而，如果我們把它們視爲爪子的殘餘，而爪子又是低等動物（人類從牠們演化而來）不可或缺的生存工具，那麼我們就比較能夠欣賞它們的目的。雖然爪子不是人類生存的必需品，大自然並沒有丟棄它們。

我們可以使用這兩個進化原則來檢視普遍存在的人類恐懼症。從此一觀點，雖然一個恐懼症對個別的受苦者有害，卻可能對整個物種的生存有益。如果我們檢視一下恐懼症的行爲可能在我們的祖先身上運作，那麼這樣的生存價值就會變得更容易讓人了解。瑞典的心理學家阿恩．歐曼已經運用這些原則，發展出大膽的社交恐懼症理論。他的理論藉由將它與一個較簡單的恐懼症——對動物的恐懼——的比較，來解釋了社交恐懼症的進化，接下來我們要看一下他的理論。

## 留存下來的古老恐懼

對個人與全人類來說，懼怕危險動物的傾向乃是一個有明顯生存價值的特徵。然而，對動物的恐懼也可能變得非常極端。當一個人對某個特定物種的懼怕，像是怕狗或怕蜘蛛，嚴重到失去理智之時，它便被視爲一種恐懼症。這種失去理智的恐懼爲什麼會存在呢？

幾千年以來，在我們人類以及尚未進化成人類的祖先之中，那些能夠逃開危險的掠食動物（像是獅子）的個體，比較有可能不會被牠們吃掉。這些個體因此較有可能活到能夠繁殖後代的年齡。透過這個最適合者生存的過程，大自然傾向於挑選最擅長發覺危險的動物以及能夠做出適度反應（譬如，打鬥或逃跑）的個體。因此，對動物的恐懼有可能是由進化的力量所塑造出來的。

在判斷掠食動物的危險性時，我們的祖先有可能犯下兩種錯誤，每一種會分別導致極爲不同的結果。我們的第一個穴居者非常容易緊張，他比一般的穴居者還更懼怕動物。當他聽到可疑的聲音而以爲是一隻獅子時，他會先大吃一驚，然後才發現它是風吹樹葉時所發出的沙沙聲。他對『非威脅』的反應浪費了一些精力，不過不會造成嚴重的後果。

由於天生容易緊張，我們的穴居者繼續相信，下一個噪音很可能是一隻眞的獅子。但是他那老練的穴友一面悠閒的步入灌木叢裡，一面嘲笑鄰居的大驚小怪，忽略了小徑上獅子的足跡，結果成爲午餐。重點是，當來自於掠食者的威脅尚未確定之時，傾向於過度反應的個人比較容易適應環境。這種適應利益所提供的機制，會讓有動物恐懼症的個人存活下來。

## 準備的恐懼

對哺乳類動物的進化史而言，爬蟲類乃是最危險的掠食動物，歐曼注意到，牠們作爲魔鬼化身的這個角色，長久以來一直存在於有關火龍的民間故事裡（我們也可以說，存在於《摩斯拉》和《侏羅紀公園》等現代故事之中）。因此，當哺乳動物因爲看到一雙如爬蟲類般外突的眼睛或摸到黏滑的皮膚而心生恐懼，這並不會令人太過驚訝。事實上，人類及猴子很容易產生對蛇類的恐懼感，要克服則很難。

對蛇的恐懼由心理學家蘇珊．米納卡藉由以下的實驗所證明。實驗室養育的恆河猴並不怕蛇，也從未見過蛇，但在牠們看過一捲上有野外長大的猴子對一條玩具蛇做出恐懼反應的錄影帶之後，牠們便發展出對蛇有強烈的恐懼感。另一群實驗室養育的猴子，也從未見過兔子，牠們所看的是同一捲錄影帶，只是由於經過剪接，以至於猴子『演員』看起來就像是正對一隻玩具兔子做出恐懼的反應。然而，在看過第二捲錄影帶之後，猴子並沒有發展出對兔子的恐懼。對這些毫無經驗的猴子而言，發展出對蛇的恐懼遠比發展出對兔子的恐懼來得容易。

由這個實驗可以得知，就恐懼來說，哺乳類動物的頭腦並不是一塊空白的板子，相反的，如心理學家馬汀．席利門所推論，嬰兒的頭腦已經準備好取得某些有用的恐懼類型。其他明顯具有保護及適應作用的恐懼還包括對高度及對黑暗的恐懼。

由於年幼動物最容易受到掠食者的攻擊，歐曼認為，物競天擇的壓力特別偏愛那些能夠對掠食者做出有效警覺及反應的年幼動物。舉個例子來說，一隻一聽到意外的噪音便跑向媽媽的小猴子，將會比一隻聽到噪音便過去一探究竟的小猴子，還更可能存活下來。這些倖存的動物便會把『年輕時擅長發覺掠食者』的這個優點傳續給牠們的後代。當然，人在童年時期傾向於最懼怕動物。同樣的，對動物的恐懼症，像是蛇、蜘蛛，或狗，也最常發生在童年，而且開始得比大部分其他的一般恐懼症還早。

## 所有的焦慮都不同

不像這個對動物恐懼症的進化較爲直截了當的解釋，社交恐懼症存在的原因並不是如此的一目了然。社交焦慮似乎不是直接爲了要保護生存。畢竟，有社交恐懼症的人，所懼怕的不是祖先的掠食者，而是他自己物種的成員。這個同物種的成員往往甚至不具危險性，相反的，也許對恐懼者來說，是一個特別迷人或重要的人物。社交恐懼症患者所懼怕的通常是困窘或屈辱，而非身體受到傷害。社交恐懼症似乎不可能與動物恐懼症出自相同的根源。

歐曼強調，社交恐懼與對危險動物的恐懼會導致不同的生理症狀，這進一步意味著，這些恐懼已經分頭演化。對肉體危險的心理反應稱爲『打或逃』反應。這種反應會使心跳加速，且把血液從消化管道引向四肢的肌肉。這些改變的目的是要使身體準備好反擊或是逃向安全的地方。打或逃反應乃是由掠食者及其他危險所引起的反應，它可能有助於我們祖先的生存。

雖然打或逃反應有時候是社交焦慮的一個特徵（特別是公開表演焦慮），社交焦慮反應也可能包括不同的症狀——像是臉紅、迴避他人的目光，或是露出羞赧的笑容（我們將會了解到，這些特殊化的綏靖行爲提供了社交焦慮的進化目的的線索）。社交恐懼症也跟別的恐懼症有所不同，這是因爲它較常出現於青春期，而非童年早期。這代表著，社交恐懼的出現可能是爲了要迎接青春期最大的挑戰，像是建立自己在社會中的地位以及找到一個伴侶。

因此，爲了要了解社交恐懼症的進化根源，我們需要將焦點從『增大個人生存機會』這一件事情上移開。就它的本質而言，社交焦慮以另外一種管道，也就是社交，最能提高生存的機會。我們活在穩固的社會團體（像是大家庭及宗族）之中的能力，一直是人類生存的關鍵之處。社會團體爲撫養人類後代這個費時的過程，提供一個安全的環境，即使我們的身體不見得比別的動物強壯，社會的分工合作讓我們在打獵時，佔有很大的優勢。人類以及我們的靈長目祖先的社會系統，對我們這個物種的生存是如此的重要，以至於一路上它們必須由物競天擇所塑造。

## 歐曼的社會恐懼症進化理論的總結

倘若歐曼的理論正確，而且社交關心或焦慮對人類確實有生存價值，類似的現象應該也存在於其他群居的靈長類動物當中。換句話說，猴子及其他與我們的祖先有關的物種，應該會顯示出某種形式的社交焦慮。而科學家的確已經在保存動物群居的行爲之中，發現了這些可能是人類社交焦慮的根源。

這些行爲，從一邊的屈服及懼怕行爲到另一邊的優勢及侵略行爲，往往出現在同一種動物的意外相遇當中。它被稱爲『社會定級行爲』。這些定級相遇，雖然敵對，卻往往經過高度儀式化，而且在較高等的哺乳類動物之中，它們很少導致嚴重的傷害。譬如，綿羊互相打鬥時，會先後退，然後衝撞對方的頭部。長角的厚顱骨使牠們不會受到重傷。綿羊從來不會衝撞對手的側邊，即使這樣的攻擊可能更具殺傷力。在群居的猴子裡，定級相遇會產生一個『優勢階級』，每隻動物在牠的社會中都佔有一個特定的地位。

英國心理學家保羅・吉柏特認爲，在進化史上，社會定級行爲本質上的改變，對了解人類的社交行爲非常的重要。對爬蟲類及鳥類而言，階級決定一個物種中的某隻個別動物是否能夠在一個特定地域繁衍後代。個體之間在一連串一對一的衝突之後，『啄序』便會產生。在這些競爭當中，動物們可能會面向對手、站直，並做出儀式化的頭部動作以及舞蹈似的行爲。這些行爲讓每隻動物都能有打量對手的機會——搞清楚誰強誰弱。建基於此一評析，較弱的動物可能會選擇逃離該地域，以避免受傷。如此，展示社會階級以及評析對手社會階級的能力，確保了較強、較健康的動物將更有機會繁殖後代，把牠們的基因傳續下去，而它也讓較弱的動物逃向另一地域，在那裡，牠們可以獲得另一個更成功的適應環境的機會。

## 屈服行爲的力量

猴子及人猿等物種也會表現出定級行爲。然而，由於牠們生活在群體之中，所以需要會有些不同。如果獨自活動的動物被同一物種的強勢成員打敗，那麼牠們可以逃離該地域。但對群居動物而言，逃離群體也許並不可行，因此有一件事變得很重要，那就是，較弱的個體必須能夠向較強的動物『投降』。

事實上，這個一成不變的訊息：『我比你低下，我不會挑戰你的權威』，一直存在於猴子及人猿的各式各樣非言語行爲裡。這些行爲用來強調投降的身體姿勢的動作有，往下看、蜷伏，以及彎腰，這都會使身體看起來較小以及較不具威脅性；另外還有降低下巴以及把頭轉向別處。屈服的動物也可能露出害怕的表情以及發出意味著沮喪的哀泣聲或吱吱叫。這種肢體語言跟人類在害羞、尷尬時的某些行爲頗爲相似。人類的社交焦慮行爲可不可能與動物的投降信號有類比之處呢？有些地位較低的黑猩猩事實上會伸出手，移動對手的臉，好讓對手可以看到牠們臣服的表情。

吉柏特進一步強調，有能力打出屈服信號的物種，可以藉由權力或傷害的威脅來維持優勢等級，而不是訴諸高代價的眞打實鬥。而且不只是領導者才會執行這樣的等級制度。在靈長目動物的社會裡，像是黑猩猩，低階動物在維持等級時，會藉由認出較強個體以及對牠們屈服而扮演著積極的角色。

當動物在競爭一個等級制度的領導地位時，成員之間的階級便會變得不太穩定。在這種時刻，當低階動物待在地位不明的強勢動物旁邊時，便需要很謹慎（或是『很焦慮』），以避免不小心而看起來很像要挑戰牠們的地位。當一個等級制度很穩定，而且每個個體都『曉得自己有幾兩重』時，整體的侵略水平就會降低很多。如此，社交焦慮、迴避，以及屈服，藉由防止可能造成的暴力及高代價的傷亡，有助於穩定一個群體。

## 羞怯的黑猩猩

爲了要維持穩定的優勢等級，個別的猴子及黑猩猩必須很能夠覺知到牠們自己的社會階級。黑猩猩所具有的自我意識水平，已經由靈長目動物學家弗朗斯·德渥所做的觀察證明出來了。

黑猩猩的性活動傾向於雜交，不過如果一隻雌的和一隻地位較低的雄猩猩想要交配，牠們必須避免被一隻『嫉妒』的強勢雄猩猩看到或聽到，要不然牠就會破壞牠們的好事。有一隻叫做吾爾的雌猩猩正值青春期，她習慣在交尾時叫得特別大聲，因此她跟低階雄猩猩的交媾常常被聽到叫聲的強勢雄猩猩打斷。最後，她學會在偷偷摸摸的交配過程中悶住叫聲，雖然當她跟強勢雄猩猩交媾時，仍然繼續盡情的尖叫。

吾爾是否已經習得了某種形式的性羞怯？我們可以推測，她或多或少對她的性夥伴的等級高低有所覺知。然而，在斷言性羞怯發生於大自然之前，我們最好考慮一下法國哲學家丹尼斯·狄德羅於一七九六年所發表的另一個看法：『愛的愉悅之後，緊跟著一陣會使一個人受制於敵人的虛弱；這是有關羞怯唯一自然的事情；其他的則全是傳統。』

即使是更複雜的害羞行爲，像是試著要隱藏社交恐懼的跡象（譬如，當海洛在敬酒時，爲了要使觀衆不會看到他的手在發抖，所做的努力），都可能不只人類才有。德渥描述了一隻強勢的老雄猩猩，名字叫做耶輪，牠不斷被一隻年紀較輕的黑猩猩所挑戰。耶輪似乎嘗試要隱藏自己的不確定感，不想讓對手看出來。有一次在衝突之後，耶輪裝出一張毫無表情的臉孔，等到身旁的猩猩都離開後，牠才露出恐懼的表情，痛苦的叫著。在另一個例子裡，一隻叫做路特的猩猩在遇到挑戰之後，開始咧嘴，露出害怕的神情，不過他的手馬上捂住了嘴巴，並且把雙唇抿在一起。在挑戰的猩猩離去之後，路特才露出屈服的笑容，沮喪地發出幾聲尖叫。這些雄猩猩似乎會壓抑及隱藏牠們懼怕及屈服的跡象。

## 人類的競爭與合作

就像黑猩猩，我們人類會高度認知到我們跟別人地位孰高孰低（我們在人類的優勢等級之中的位置）。研究顯示，即使是四歲大的孩子，都可以認出他們自己在安親班同學中的優勢等級。我們往往也喜歡擁有優勢地位，這再度跟黑猩猩享有相同的特徵，牠們通常會使盡力氣來使自己爬向可能的最高等級。地位較低的個體應該都會經歷到更多的社交焦慮，這是因為牠們更容易受到強勢個體的挑戰。

雖然社交競爭滲透到我們社會的每個角落，以力氣分級並非端詳人際關係的唯一管道。鞏固人類社會的方式還包括個人對同一團體其他成員的關心，以及我們表達及接受感情的能力。在進化的過程當中，那些擅長合作以及善於利用團體活動來打獵及防衛的人們，具有較大的生存優勢。所以大自然可能偏愛那些喜歡關心他人的個人的生存。因此，自然選擇的一項副產品有可能是一些過度在乎他人想法的個人。我們可以推測，這是社交恐懼症作爲一個適應行爲系統的一個極端形式的另一根源。

有些社會學家指出，地位往往是雄性（包括動物及人類）全神貫注的目標，傳統上，女人對社會的凝聚力以及促進家庭成員的成功，較有興趣。心理學家珍·貝克·米勒認爲，一般來說，女性不會以權力的角度來看待人際關係，也不會將人際關係視爲『輸贏所繫的賭局』。相反的，她們比較有合作的精神，且試著要照顧到每個人的發展。

語言學家底波拉．泰倫曾經提到，這個對地位的注意力的差異，可以從男人及女人的言辭及行爲上看出來。她舉了一個一對夫妻迷路的例子。哈羅德相當不願意問路。他把問路看成是弱者的表現；向別人求助對他的自尊將會是嚴重的打擊。然而，西維亞對問路卻沒什麼顧慮。對她來說，問路並不代表輸掉一場比賽。相反的，它能培養人際關係以及加強人與人之間的情誼。

心理學家吉柏特認爲，有一型社交焦慮會發生在過度懼怕失去地位的人們身上。在某些情形之下，專注於地位的高低可能會有好處，像是當一個人在一條暗巷裡接近一個大塊頭的陌生人時。在這種狀況下，爲了要避免被攻擊而表現出不具威脅性，可能是明智的作法。然而，當患有社交恐懼症的杰里由於約會而接近一位令人喜愛（高地位）的女士之際，以同樣的模式思考，卻對他沒什麼幫助。跟許多人類的社交場合相似，約會需要一個更爲正面的互動模式，在此一模式裡，個人藉由表現出親切及魅力來尋求他人的合作。

## 優勢系統與吸引力系統

此兩者之間的不同點有時候並不是那麼清晰可辨，這是因爲魅力本身能夠增加優勢。如吉柏特所表示的，人類往往想要擁有吸引他人的力量，並且透過欣賞、愛、尊敬，以及了解，而非藉由地域控制權或交配權，來吸引別人的注意。我們也希望他人自願把權力授予我們，而非經由強迫的方式。海洛希望他的親朋好友欣賞他的致詞（藉此而承認他在婚禮上的地位），不過他沒有看到觀衆明顯的反應，他擔心他正失去觀衆對他的讚賞。

有證據顯示，黑猩猩跟人類一樣，可能會因爲失去正面的注意而感到焦慮，而不是只因爲擔心被攻擊。譬如，一隻剛輸掉一場定級遭遇的動物，往往會回到那隻強勢動物的身邊，來表現牠的屈服，並且藉由獲得強勢動物的正面注意，來取得不會遭受攻擊的保證。靈長目動物學家珍・古德爾描述了老弗蘿的案例，她跟一隻雄猩猩麥克打架，結果打輸了，她向牠做出臣服的姿勢。麥克的反應是擁抱及輕拍她，直到她停止尖叫爲止。接著牠爲她理了十分鐘的毛，之後，弗蘿變得非常的平靜，以至於睡著了，她的頭幾乎放在麥克的腳上。一旦牠們之間的地位高低釐清之後，這兩隻動物便能夠深情地互動著。

## 人類如何表現臣服

即使人們因爲人類獨有的理由才經歷到社交焦慮，焦慮表現在我們的生理及行爲上的方式，跟我們的靈長目親戚享有許多相似之處。吉柏特指出，從較低等動物對被強勢動物肉體攻擊的恐懼，到人類對喪失吸引力的恐懼，歷史上的這個進化改變是採漸進的方式。在定級遭遇時所發生的行爲，其實並沒有太大的變化。因此，人們很容易便可以看出，黑猩猩的往下凝視、弓身的姿勢，以及難爲情的咧嘴，乃是在表達臣服的意思。

然而在社交焦慮的生理反應方面，我們跟我們的靈長目親戚也有一些不同點。其中的一個就是社交臉紅這個現象，達爾文把它稱爲『最奇特及最人性的表情』。臉紅並無經過證實的生物功能，雖然假使社交焦慮果眞以社會訊號系統的形式在進化，那麼臉紅可能是大自然本身的紅燈。心理學家馬克・利里推測，臉紅的目的也許是要減少來自別人的注意力。當臉紅是由尷尬所引發時，它便帶有這樣的訊息：『我在乎你對我的看法。我對你沒有威脅，所以你不需要證明你比我強或是想要攻擊我。』發出這種訊息的能力有可能帶有重要的生存價值。

這個社會交通號誌理論的一個問題是，在深色皮膚的人們身上，該信號可能無法顯現出來。然而，有色人種在感到難爲情時，他們臉部的血液流量同樣會增加。另一個合理的解釋爲，臉紅是一個體內社交警告系統的運作。血液流量增加所促成的溫暖是爲了使尷尬者注意到他自己的臉，以及加強他正在被觀察這個事實。留意自己的臉會加深自我意識，而自我意識則會把注意力自攻擊的衝動移開，並進一步增強綏靖行爲，令對方能夠了解，他或她並沒有受到挑戰。

## 進化與環境的關係

倘若人類的社交焦慮的確起源於古代此一物種的進化利益，那麼這對了解焦慮問題具有何種意涵呢？其中一個意涵爲，社交關心及焦慮是人性固有、適應的一部分。之所以稱它們爲固有，是因爲這些社交感情及行爲的能力乃是建構在我們的基因裡。稱它們爲適應，則是因爲，溫和的社交焦慮不僅對整個社會有益，它對個人也有不少幫助。舉個例子來說，關心別人如何判斷我們的表現，有助於使我們在遇到工作面談或約會等這些複雜的定級活動時，發揮我們最佳的才能。適度的焦慮幫忙動員精神及注意力，讓我們在手邊的工作上能有更好的表現。同樣的，溫和程度的焦慮以及健康的難爲情，可以抑制魯莽或具有危險性的行爲，像是因爲犯錯而被老闆指責時，跟老闆大打出手。

在人際關係方面，適度的害羞可能有助於吸引別人的好奇心。溫和的舉止可能令其他容易害羞的人以及幼童感到自在，它甚至可能吸引到相反型態的『強勢』個人。許多社會都珍視順從的行爲，像是對自己的成就表示謙虛、因尷尬而臉紅，或是在談到露骨的性事時，露出不好意思的神情。

人類的社交焦慮系統跟大部分以生物性運作爲基礎的系統類似，它可能會在個人身上發生混亂或是無法適應於某些環境或場合。社交恐懼症牽扯到極度且適應不良的社交恐懼。海洛對演講的焦慮，假使沒有變得如此極端，便可能有效的促使他準備好演講以及專心於他的表現。然而，在極度的形式之下，它卻會導致他無法專注於演講的品質。很像許多人類的痛苦，社交恐懼症乃是我們人類的適應防衛走到災難性的極端的一個例子。

演化生物學說明了社交恐懼症爲何存在於人類這個物種裡，不過它卻無法幫我們解釋，社交恐懼症如何發生在任何一個特定的個人身上。在理論上，一個人是經由遺傳或數種環境影響的途徑，而發展出社交恐懼症。

有些個人的順從行爲可能是由遺傳所造成。由其他物種的演化祖先所傳給我們的『古代』順從行爲，像是眼光避向他處，尤其可能是受到基因的影響。有證據顯示，遺傳基因的確會促成社交恐懼症，這個主題我們會在以下篇章討論。

環境因素，包括家庭及文化的影響，也可能在社交恐懼症的發展上，扮演著關鍵性的角色。優勢地位或吸引力並非在動物或個人出生時，便永遠確定下來。隨著時間的進展，受到他們的行動或環境的影響，人們的地位往往會起起伏伏。在我們所參與的各個社會群體及活動之中，我們會同時擁有不同的地位。舉個例子來說，一位優秀但過胖的科學家，可能在實驗室的環境中享有極多的敬重及權力，然而當他在海灘上做日光浴時，卻可能感到難為情及無足輕重。

## 社交焦慮的途徑

我們已經注意到從進化通往社交焦慮的幾個可能的途徑。首先，大致覺得自己比別人差或低微的個人，傾向於更容易受到社交遭遇的威脅。再者，喜歡把社交遭遇視為測試自己社會地位的機會（而非溝通與結交朋友的機會）的人們，也將更容易染上社交焦慮。譬如，海洛可能（意識或潛意識）把他獲選為男儐相這個事實詮釋為，新郎官給予他一個高過其他所有賓客的地位。由於他把自己的獲選看成一個分級比賽，在此一比賽中他已經擊敗別人，取得『優勢』，所以他也以為倘若自己表現得不夠好，便會成為他人攻擊的目標。

雖然女性比較不會有競爭態度，她們仍然無法倖免於擔心別人如何看待她們。然而，女性的恐懼所針對的比較不會是她們自己地位的喪失，而是，失去與他人的聯繫關係及感情、她們的家人及朋友的地位喪失，或是被別人認為太強勢或太跋扈。這可能是培養女性以團體為中心的態度的社交敏感，也可能是導致女性比男性更加受苦於社交焦慮的元凶。

對男女兩性而言，社交恐懼症也有可能發生在外表看起來『佔優勢地位』的人們身上。當一個擁有任何一種身分的人懼怕地位的喪失或失去另一人的愛，或是如馬克・利里所留意到的，當一個人擔心他或她的地位並非如自己所願地被察覺時，社交焦慮便會發生。以下是其他一些會造成社交焦慮而與地位有關的因素：

(1)社會地位的斬獲有可能觸發恐懼。譬如，擢升到一個需要領導技巧的職務，可能會使先前蟄伏的社交恐懼甦醒過來。表現得太佔優勢也可能造成困窘。譬如，蘇珊是個謙卑的人，當老闆在同事面前稱讚她時，她便會感到焦慮。她對於在工作場合得到較高的地位感到很不自在（她的老闆把她挑出來稱讚，而沒有稱讚她的同事），而且她暗地裡擔心，覺得受到挑戰的『強勢』同事也可能會找機會向她報復。她透過以下的管道來表現這個不自在的感覺：臉紅及顫抖（以非言語方式表現她的臣服地位的焦慮症狀）、自我貶抑的言詞（以言語表現她的臣服地位），以及『忘記』參加下一個會議的自我破壞行為（鼓勵他人拿走她的優勢地位）。

(2)一個人可能先前對地位一點都不在乎，不過突然被推入一個優勢地位極為重要的狀況之中（譬如，打算離婚的家庭主婦發現自己在法庭上為離婚協議奮戰）。

(3)一個人可能會錯判他或她自己的相對地位。有此問題的人們可能在沒有喪失地位的情況下，誤以為自己喪失了地位。在這樣的情節中，海洛可能誤以為，用顫抖的聲音敬酒將會使別人對他產生壞印象。假設我們稍後在招待會上做調查，其結果卻可能顯示，有百分之九十七的賓客為他的聲音裡所傳達的深情所感動。

(4)一個提高某人地位的特徵有可能真的消失掉；譬如，當一個『白手起家』的生意人失去了他的生意。

(5)社交環境的改變可能引起新的社交地位擔憂；譬如，當一個成功的個人搬到另一個國家，在那裡他的種族背景經常被人奚落。

最後，其他進化因素也可能在某些形式的社交恐懼症裡，扮演著一個角色。對前突眼睛的固有恐懼——我們曾經在掠食者恐懼裡討論到——也可能助長某些社交恐懼症。對許多物種而言，被瞪視會引發焦慮，致使小雞僵住，猴子覺得受到威脅。在某些情形之下，人類太直接或持久的凝視也會刺激出某些恐懼的自動管道。

總之，演化在社交焦慮中的角色理論，提供了一個迷人的觀點來看待人類的社交恐懼及恐懼症。它們讓我們了解到，對動物的社交行爲的進一步研究，也許能夠提供有用的動物模式來了解人類社交恐懼症的層面。在此同時，有一批理論是與演化理論相融的，那就是，遺傳與環境二者皆會影響到社交恐懼症的發展。

# 生物學根據

對我而言，我自己的頭腦是最莫名其妙的機械裝置——它總是嗚嗚叫、嗚嗚叫、翱翔、咆哮、俯衝，然後埋在泥濘之中。這是爲何？

——吳爾芙，一九三二

## 爲什麼是生物學？

乍看之下，生物學似乎不怎麼能夠幫我們了解社交焦慮及社交恐懼症。我們無法如對膽固醇般，測出血液中的社交恐懼症濃度。我們無法如對腫瘤般，對社交恐懼症做活組織切片，以決定它到底是良性還是惡性。社交恐懼症彷彿完全存在於心智之中。困窘似乎是由某些社交場合所造成的，從台上表演到參加雞尾酒會都有，而且我們不會把莎士比亞或閒聊視爲特別與生物學有關。

然而，社交焦慮及社交恐懼症也是高度生理的經驗，途徑則是透過臉紅性及發抖等這樣的身體感覺。是什麼導致我們臉頰裡的血管在違反意志之下充血，是什麼使我們的肌肉纖維做出不協調的收縮？這些感覺全建基於身體多系統的運作。即使是對困窘的恐懼的典型思考模式，也必定存在於人腦途徑的某些電及化學活動之中。我們的身體及腦部生理機能，一部分是由我們承繼自我們父母的基因所決定。因此，在許多方面，生物學與社交焦慮極有關聯。

社交焦慮的根部深紮於人類歷史以及人類出現之前。我們在前文〈社會焦慮有何用處？〉曾經討論到有關『社交焦慮在演化過程中發展』的證據。因此，從演化的觀點來看，社交焦慮可能是有價值的社交覺知系統的一項令人不舒服的副產品。這個深植於腦中的系統，導致人類及其他群居動物拿他們的力氣或權力與自己周遭的同類相比較。它讓我們在感覺到比輸人家之時，發出臣服信號，藉此避免爲了爭奪社會權利而大打出手。

我們祖先的一個演化遺產，也就是我們頭腦中的生物『複雜神經線路』，具有處理社交接觸的內建策略。這個複雜線路構成我們所有複雜社交儀式的基礎，從約會禮儀到要求老闆加薪都有。同樣的，它也是我們決定如何對付他人的複雜心理衝突的根基——從我們支配他人的慾望相對於我們被照顧的慾望，以及從我們希望被欣賞相對於我們害怕被拒絕。(見下頁圖)

## 焦慮的神經徑路

這個行動的控制中心乃是腦部。資訊不斷地從體外流向感官，然後再被傳遞到腦部釐清。根據此一資訊，腦部決定我們是否應該注意——還有，如果應該，那麼要注意哪些特定的信號。以這個方式，人腦很像是一間入會要求極苛的俱樂部的守門人，他必須從烏合之衆當中挑選出社會的要人來。人腦自一大堆大部分無關緊要的光波、音頻、我們所聞到

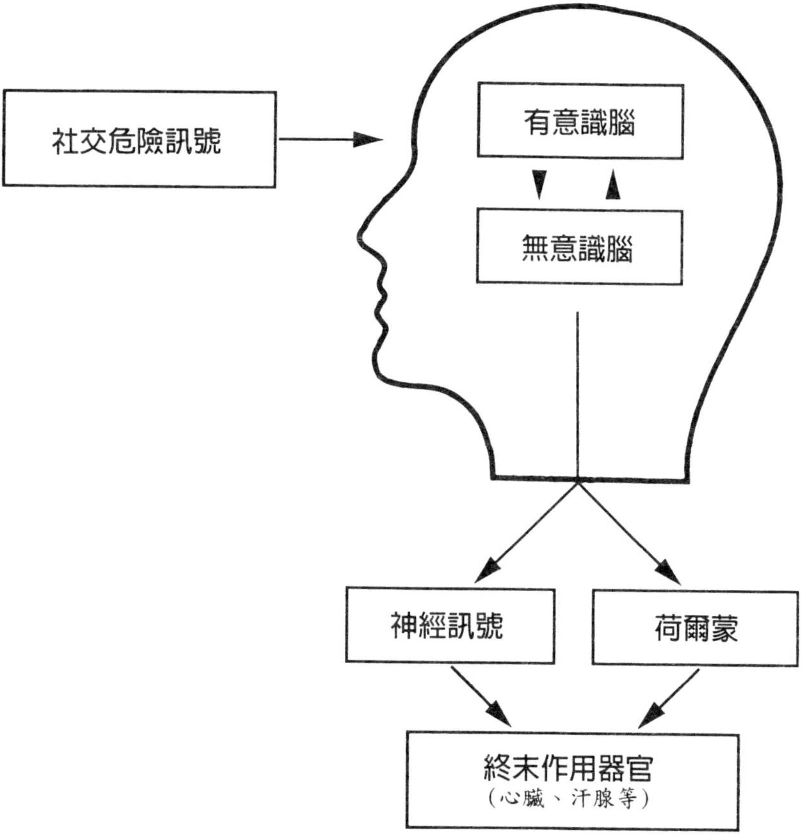


神經線路圖

或嗅到的化學分子，以及體膚接觸之中，挑出重要的社交訊息，像是一張生氣的臉。

腦很擅長辨認所接收到的信號，且詮釋出它們是否意味著危險。這個過程的一部分是有意識的（也就是說，我們用思考來經歷它），而且它主要發生於大腦皮層。此一過程的另一個較快的部分是無意識的，並不在我們的覺知範圍之內。無意識的腦部活動通過一個叫做『杏仁核』的腦部結構。一個恐懼反應，如果發展起來，會經由兩個重要的管道傳遞到身體的其餘部位：腎上腺素等荷爾蒙物質會被釋放到血液之中；然後以電化學衝動之訊息沿著神經通路旅行。這些荷爾蒙及神經信號抵達如心臟或肝腺等『終末器官』之後，會引發如心跳加快或流汗等生理反應。

所以身體的社交焦慮反應一旦被腦部的自動途徑啓動，便會旅行於一條經常被使用的神經系統活化路徑之上。這會產生一個生理變化的獨特模式：大腦皮層內的某些神經徑路的活化會被經歷爲社交焦慮的感覺與思想。臉部的血管接收到讓管壁放鬆的信號，以便充滿更多的血液。正常情況下抑制心跳的神經信號，可能會減弱，致使心臟加速跳動。

人腦的神經徑路包含社交危險信號的有意識與無意識運作。

當身體器官的自動反應進入一個人的有意識知覺時，它們便會被經歷爲社交焦慮的生理症狀，如臉紅（來自臉部血管的充血）、發抖（來自四肢與頸部肌肉緊張度的改變），以及心跳加速（來自心臟肌肉收縮的強度、速度及節奏）。有意識腦在覺知到這些症狀之後，可能會引發焦慮、難爲情，或是想要逃離的衝動。

## 由神經化學反應到恐懼現象

從一開始到現在，我們一直在探討似乎是全人類皆有的機制——我們都有可能經歷社交焦慮。然而，生理鏈上的任何一個步驟的相異，便有可能造成個人對社交焦慮的敏感度的不同。有些人可能在發覺社交信號方面極爲敏感，而且傾向於以負面的角度來詮釋它們——他們的『觸角』會接收模糊的蹙額、揚眉，以及別人看不出有任何意義的肢體語言。其他人可能會正常的詮釋社交信號，不過卻對壓力源出現過度活躍的荷爾蒙反應，連最輕微的社交威脅都會令他們的身體把腎上腺素打入血流之中。或者是身體上的某些器官可能特別容易受到刺激，像是輕易加速跳動的心臟或是如水龍頭般的汗腺。有些人的腦可能對身體其他部位所發生的狀況特別敏感，所以這些人會過度覺知到輕微的流汗或發抖。每個人獨特的生理機能會以許多種方式來塑造出典型的思維模式、感覺、行爲，以及生理症狀——皆是焦慮反應的組分。

就如同一個人腦部獨特的生理機能及化學作用會影響到此人與外界互動的模式，外界所發生的事件也可能對腦部的化學作用有所影響。這點似乎特別適用於童年時期重複發生的經驗，此時腦部的發展仍然極爲迅速，而且正長出神經細胞之間最新的連結結構。生長於群體之中而無父母照顧的實驗室猴子，由於完全缺乏能夠滿足需要的親情，牠們的腦部長期顯示含有較多量的神經傳遞素五羥色胺，這是一種相關於社交互動的重要化學調節物質。因之在社交關係方面，這些猴子一直比被正常撫養的同輩顯得較爲膽小。

最近對人類的研究已經證實，生活經驗會改變身體的焦慮反應系統。患有『創傷後壓力症』的大屠殺倖存者與上過戰場的退伍軍人，其所分泌的壓力荷爾蒙『可體松』的含量，都比正常人來得低。這就好像是，他們的創傷經驗已經『耗盡』他們的身體對壓力展開正常心理反應的能力。MRI（核磁共振影像分析術）的腦部掃描顯示，患有『創傷後壓力症』的越戰退伍軍人其腦部的海馬回區域，事實上比正常人的還要小，這有可能是他們戰爭經驗的心理創傷所導致的生理後果。

假使我們根據研究資料做出大膽一點的推測，那麼其他負面的生活經驗（譬如，受到父親或母親長期的辱罵或貶低）有可能對人腦造成化學作用以及甚至是結構上的反常。這種持久或極端的負面經驗可能會使一個人在社交或表演場合當中，更容易受到社交焦慮的襲擊。這樣的一個生理機能弱點可能可以直接以藥物矯正，或甚至可以被正面的生活經驗或成功的心理療法矯正。

越來越多的證據所顯示出來的生理機能與生活經驗的具相互關聯性雙向道，已經使得像社交焦慮這類複雜的現象最終無法被解釋爲純粹是生理或心理任何一方所單獨引起。因此，接受我們決定情緒生理基礎並不等於是要我們排除生活經驗的影響力。過去，科學界的成員往往互相爭論，人類的問題到底是大自然（生理及遺傳）還是撫養（心理及生活經驗）所造成的。今天，這些陳舊的爭論最後終於被賦予較爲複雜的論點，那就是，生理傾向以複雜的方式與生活經驗『互動』之後，才塑造出我們所變成的樣子。

跟我們對心、肝或腎等其他器官功能的了解比起來，就社交焦慮及其他情緒而言，我們對人腦及神經系統功能的了解，仍舊非常的有限。鑑於人腦的複雜性——它有一千多萬個高度互相連結的神經細胞——這一點並不令人驚訝。腦的研究也是特別的困難。它並無可供觀察的活動部位。腦的整個形狀及大小，意味不出什麼，而且連它在顯微鏡下所顯示的結構，也只提供一點點有關功能方面的線索。它的電性衝動及化學訊息傳遞的模式，時時都在變化，而且根據腦內傳送部位的不同，任何一種形式的化學傳遞分子可能傳達著非常不同的訊息。腦的多樣性不會輸給它所製造出來的人類行爲的多樣性。然而，許多巧妙的實驗已經開始照亮長久以來一直被認爲是深不可測的黑盒子。

## 秘密在基因裡？

揭露社交焦慮的生理因素的一個方法，乃是在基因裡尋找它們的根源。基因是一張張被繼承下來的DNA藍圖，它們出現於一具身體裡的每一個細胞，決定一個有機體將會長成一個人或是一條魚——而且還會影響到跑出什麼樣的人或魚。基因決定許多個人的生理特徵，不過它們在人類行爲及精神疾病方面所扮演的角色，則比較不清晰。到底基因對一個人發展社交焦慮或社交恐懼症的影響有多大，這個問題的答案可以透過家族研究或甚至是孿生子的研究來尋求。

倘若社交焦慮的傾向建構於基因之上——也就是說，可經由生理遺傳給下一代——那麼社交焦慮應該會在家人之間流傳著。就如同一對兄弟比一對表兄弟更容易擁有同色的眼睛，建構於遺傳上的行爲，應該會在血緣較近的親戚之間顯得較爲相似。哥倫比亞大學研究員阿比．法爾和沙華托．蒙努查，已經對社交焦慮在家人之間的盛行率，做了研究。他們訪問社交恐懼症患者的家庭成員（直系親屬，包括父母、兄弟姊妹，以及孩子）。這些家庭成員被拿來與一個對照組做比較，對照組乃由心理正常的志願者的家庭成員所組成。對這兩組家庭成員所做的評析顯示，社交恐懼症患者的家人的社交恐懼症比例，是對照組這一群家庭成員的三倍（百分之十六對百分五十五）。這意味著，社交恐懼症的確在某種程度上，傾向於在家人之間流傳。

一個後續研究將社交恐懼症患者區分為那些患有廣泛性社交恐懼症的人（他們在大部分的社交場合皆會感到害羞以及懼怕困窘）和那些只懼怕數種社交場合的人（像是演講或登台表演）。只有廣泛性社交恐懼症患者的家人有一個較高的社交恐懼症罹患比例。這些病患的家人在憂鬱症或精神分裂症等其他精神疾病方面則並無較高的罹患率。

該研究的結果顯示，社交恐懼症的廣泛性亞型（不過大概不是表演或演講亞型）的確會盛行於家族成員之間。它們也證實出，一個家庭成員的社交恐懼症高危險率並不只是其他精神疾病的高危險率的一部分。總而言之，社交恐懼症患者的家人比較有可能也罹患有同樣的問題。其他相似的研究已經支持了這個發現。

## 學生子與社交恐懼症的遺傳性

然而，社交恐懼症盛行於家人之間，並不能就此證實，這個傾向到底是經由遺傳（像是藉由一或數個『社交恐懼症基因』）還是環境（像是當孩童藉由觀察父母而學習到某些社交行爲）來傳給下一代。孿生子研究得以使研究人員對遺傳及環境因素的相對影響，提出更爲明確的估算。在家人之中，由於親戚關係的不同，基因遺傳的百分比便會有所不同。譬如，同卵雙胞胎共享他們的基因的百分之百。而異卵雙胞胎則只共享百分之五十，而跟任何一對同胞兄弟姊妹的狀況相同。假使社交恐懼症是一種單純的遺傳疾病，是由單單一個社交恐懼症基因的繼承所決定，那麼如果一個同卵孿生子患有社交恐懼症，另一個孿生子也一定會有。以遺傳學的語言來說，他們對社交恐懼症將會一致。不過在異卵孿生子之間，只有百分之五十會對這個疾病一致。

倘若社交恐懼症只是部分遺傳（如大部分的精神疾病、人格特質，以及甚至一些身體特徵，像身高），那麼它將不會在同卵孿生子之間一致。然而，它在同卵雙生之間將會比在異卵雙生之間的共發率高。在另一方面，假使社交恐懼症純粹是由環境所決定，那麼就社交恐懼症而言，同卵孿生子並不會比異卵孿生子更可能相像。研究人員已經發展出複雜的數學模型來估算，一對孿生子的某一個特徵的相似，其遺傳因素與環境因素各佔多少。

精神科醫師肯尼斯·肯德勒是應用這些有效的新統計工具的先驅，他報告了維吉尼亞醫學院的一個大型的社交恐懼症孿生子研究。肯德勒研究了兩千多對女性孿生子，她們都是維吉尼亞州的一個孿生子的研究登記的一部分。當一對同卵雙胞胎的其中一個患有社交恐懼症時，該對的另一成員有百分之二十四的機率也會有社交恐懼症。同卵雙胞胎的共發率（百分之二十四）比異卵雙胞胎（百分之十五）還要高。藉由數學模型的使用，肯德勒得以估算出，基因遺傳在社交恐懼症的發展之中佔有大約百分之三十的機率，而環境因素則估剩餘的百分之七十。其他使用不同的社交恐懼定義以及不同的數學模型的孿生子研究，所估算出來的基因影響從百分之二十二到百分之五十都有。

因此，遺傳似乎在社交恐懼症的發展之中，佔有頗爲重要的地位，不過至少還留下一半的影響力給各式各樣的環境因素。許多環境因素皆可能影響到社交恐懼症的發展，其中包括胎兒暴露於可能影響腦部發展的病毒、藥物，或營養素，其後則可能暴露於父母特殊的教養、對父母和同學的社交行爲的觀察與學習，以及造成創傷的受辱經驗。

另外我們必須留意的一點是，這些對遺傳與環境的影響力的估算，只描述了研究對象整體的統計數字平均值。如果基因控制著社交恐懼症罹患機率的百分之三十，對任何一個社交恐懼症患者而言，基因在理論上對此人的社交恐懼症傾向的影響，可能非常的大，也可能小得可憐。我們說『理論上』，是因爲這樣的計算目前不可能用在個人身上。某些人的社交恐懼症可能主要是由於遺傳，其他人則可能大致經由後天的學習。

## 社交恐懼症的嬰兒?

另一個區分遺傳與環境因素的管道則是對嬰兒的研究，因爲在此階段，環境還沒有機會造成太大的衝擊。『哈佛嬰兒研究實驗室』對害羞兒童所做的研究，已經爲社交焦慮的遺傳因素提供更多的證據。

在一九六〇年代，兒童心理學家杰羅姆·卡根留意到，對兒童從出生到青春期所做的觀察，只發現了一個會從生命的前三年一直保留到成年的心理特性——害羞的氣質。『氣質』是指嬰兒對環境與生俱來的特殊回應方式，也就是嬰兒正在萌芽的個性型態。卡根在一個對中國的日間托兒中心所做的研究裡，觀察到中國嬰兒在遇到陌生人時，會顯得比白種嬰兒害羞、安靜，以及害怕，而且他們的心臟也跳得比較快——這是害羞氣質的特徵之一。在一九八〇年代，他決定對這個他稱爲『行爲壓抑』的現象進行更深入的研究。其結果已經證實很有意思。

從一群只有二十一個月大的嬰兒當中，卡根依據對他們的氣質所做的測驗——性向測驗的幼兒版——選出兩個不同的小組織。遇到陌生的人或物而長期顯得害羞、安靜，以及膽小的兒童，被視爲具有行爲壓抑的氣質。在同樣的狀況之下，顯得合群、愛講話、情感表現自如的兒童，則歸類爲另一個非行爲壓抑亞群。從這兩群當中，再分別挑選極端的百分之十五，以供更進一步的研究。

結果證實，隨著時間的進展，壓抑的氣質顯得頗爲穩定。當這些兒童到了七歲再被測驗時，有百分之七十七的行爲壓抑兒童仍然比一般孩童顯得更爲安靜、嚴肅、謹慎，以及害羞。在兩歲與七歲時都有行爲壓抑現象的兒童之中，有三分之二在十二歲到十四歲之間接受同樣的測驗時，仍舊有壓抑的情形。行爲壓抑的幼兒很少會轉變得擅長交際。

卡根推測，這些兒童所表現出來的穩定的行爲差異，反映出腦功能天生的差異。他認爲，會造成恐懼反應的腦部區域，如杏仁核，在行爲壓抑的兒童身上可能比較活躍。腦部這些區域的高度活動將會導致交感神經系統的活化，而後者則是在神經系統中，負責把腎上腺素釋入血液之中以及導致打或逃反應的產生。

倘若卡根的理論正確，那麼增加的交感神經系統活動應可由特定的生理測量法測出。如原先所預期的，這些兒童休息時的心率較高，在回應陌生的人或物時，心跳加速得更快，瞳孔也放得更大，而且尿液中神經傳遞物質正腎上腺素（noradrenaline）的代謝物含量也較高。行爲壓抑的兒童也有較高含量的循環荷爾蒙，腎上腺皮質素可體松，這是身體在應付壓力時所釋出的物質，可以在兒童們的唾液中測到。

懷疑此一理論的人認爲，這個資料非常有趣，不過並無法證實，這些生理差異在出生時就已經出現。或許父母在童年初期養育方式的差異，有可能造成這樣的壓抑行爲。卡根的研究小組於是回到實驗室，開始研究四個月大的嬰兒對各式各樣新鮮刺激的回應。大約百分之二十的嬰兒對刺激顯示了高度反應，會做出用力的動作以及生氣或哭鬧。當他們到了三歲再接受測驗時，這些高度反應的嬰兒比較可能表現出害羞或壓抑的行爲。最後，卡根報告說，他的小組一路回到子宮，發現出生三個禮拜之前有較高心率的胎兒，也更有可能變成行爲壓抑的嬰兒。

這種壓抑的性情似乎是發展社交恐懼症及其他情緒問題的一個危險因素。有壓抑行爲的幼兒，三年之後再被追蹤時，顯示出更多的焦慮病症，包括社交恐懼症。在一個對卡根的兒童的家人的研究裡，行爲壓抑兒童的父母的社交恐懼症機率（百分之十八）比社區中兒童的對照組父母（百分之三），高出很多。一些其他的情緒問題，像是恐慌發作，也更爲普遍。

這些行爲壓抑的發現，對我們對社交焦慮和社交恐懼症的生理及心理層面的了解，有很重大的意義。從生理機能的觀點看來，在社交焦慮的遺傳和生理因素被長期的環境影響力淡化之前，行爲壓抑可能可以提供一戶窗，讓我們對遺傳及生理因素有更深入的了解。所以對行爲壓抑的進一步研究也許能夠開始揭露潛藏於害羞行爲背後的遺傳及其他生理因素。如果要開發出針對社交恐懼症的生理根源的更有效力的療法，那麼探究導致行爲壓抑的腦及身體的化學作用，可能是一條可行的途徑。

從心理學的角度來看，行爲壓抑可能同等重要，不過是爲了不同的理由。如果一個行爲壓抑的幼兒很有可能在往後發展出社交焦慮問題，那麼早期的發現可以幫助父母調整他們對待孩子的方式，以防患未然。父母可以接受能夠消除孩子的社交恐懼傾向的兒童撫養技巧教育。這包括鼓勵這樣的兒童進入陌生的場合以及避免過度的保護，且幫他們發展應對的技巧。許多人都承認，父母可能使他們的正常孩兒變得神經兮兮，所以難道他們不能幫忙『神經兮兮』的嬰兒長大後變得正常一點嗎？我們會在後面篇章中討論害羞小孩的父母應該怎麼辦。

## 社交焦慮是否有獨特的生理現象？

即使社交焦慮有潛在的遺傳或環境因素，一個成人的實際社交焦慮經驗，通常還包括了生理症狀。如我們曾經討論過的，臉紅、心悸、震顫以及流汗等症狀，乃是由荷爾蒙與神經系統的活化所引起的。不過這些生理現象是不是社交焦慮才有，還是我們在感覺到活化之後，因爲它發生在社交場合之中，所以才把這個活化稱爲『社交焦慮』？在過去的一世紀裡，科學意見的鐘擺一直在這些解釋之間盪來盪去。

十九世紀即將結束之際，美國心理學家威廉·詹姆士和丹麥生理學家卡爾·藍格分別產生同一個想法，後來此一想法被稱爲詹姆士—藍格理論。如詹姆士所說的，『常識以爲，我們失去了一大筆錢，很傷心，然後哭泣；我們遇到一隻熊，害怕極了，然後逃走；我們被敵人侮辱，很生氣，然後攻擊……。我的理論……是身體的變化直接跟隨著對現存事實的察覺，而我們對同樣的變化所具有的感受便是情緒……我們感到傷心是因爲我們哭，生氣是因爲我們攻擊，害怕是因爲我們顫抖……。』根據此一理論，一件令人難爲情的事情將會直接導致臉紅及發抖等身體的變化，當我們覺知到這些特定的症狀時，我們便會感到難爲情。

到了一九六〇年代初期，鐘擺開始盪往另一個方向。心理學家史丹利·沙克特和杰羅姆·辛格設計了一個實驗，在這個實驗裡，兩組自願接受試驗的人被給予一種興奮劑。在每一組實驗對象裡，有一個人其實是實驗者所派進去的臥底者。在其中一組裡，服用藥物後，臥底者故意做出一些誇張的古怪動作，以向同組的其他實驗對象暗示，他正處於一個異常的欣快狀態之中。在另一組裡，臥底者在其他實驗對象面前，表現出憤怒的情緒，將一張表格撕破，氣沖沖的離開房間。該研究的結果顯示，那些實驗對象比較可能報告說，他們經歷了他們所看到的臥底者所表現出來的情緒。因此實驗者獲得的結論是，並非興奮劑的特殊生理效力在決定情緒方面的經驗，而是，情緒的標示主要依據於社交環境。

就焦慮而言，曾經有許多人相信，刺激的一個單一生理狀態乃是所有恐懼或焦慮形式的基礎，像是懼怕被攻擊、懼怕看到血、懼怕窒息於一個擁擠的電梯裡，或是懼怕演講時的困窘。然而，最近有更多精心設計的研究證明，不同的生理狀態伴隨著不同種類的焦慮。結果發現，並非所有的焦慮都相同。

譬如，恐慌症患者經常發作的自發性焦慮，往往跟社交焦慮享有一些相同的症狀——像是一顆狂跳的心臟，增加的心率，以及震顫。不過其他的症狀則區分了這兩個徵候群。不像有社交焦慮的人，恐慌症患者普遍會經歷到呼吸困難、胸痛、梗塞、眩暈，以及懼怕死掉或昏倒。社交恐懼症患者在焦慮發生時，比較有可能經歷到其他的症狀，像是臉紅或肌肉抽動。

恐慌症和社交恐懼症的不同點也出現在實驗室裡，在這個地方，對焦慮系統的化學性反應產生了不同的效果。譬如，當某些化學物質，像是乳酸鈉或咖啡因，被注射到恐慌症患者的靜脈裡時，大部分患者在幾分鐘之內便會有恐慌發作。這主要是一個生理反應，而非只是心理作用，因爲當同一組實驗對象所注射的是無效的鹽水對照劑時，他們便不會經歷到恐慌。然而，社交恐懼症患者跟其他沒有焦慮問題的人一樣，不可能因爲化學物質而產生焦慮反應。

因此越來越多的證證顯示，特定種類的焦慮問題與特定模式的生理反應有關。建構於詹姆士和藍格和沙克特和辛格的理論，目前的研究認爲，我們的情緒乃是以特定的生理反應爲基礎，而且可能由周遭的環境所修改。容易被發現的生理症狀，像是臉紅及顫抖，或許可以充當追蹤潛藏於社交焦慮經驗裡面的生理現象的起跑點。

## 腎上腺素假說

許多社交焦慮症狀（提高的心率、心悸、出汗）可以被歸類於交感神經系統的活化。當此一系統被活化之後，它便會刺激腎上腺分泌稱爲腎上腺素的荷爾蒙，然後這種荷爾蒙就會循環於血液之中。循環的腎上腺素以及從腦部傳到重要器官的神經訊息，必須爲『打或逃反應』的症狀負責。那麼腎上腺素可不可能就是社交焦慮的必要來源呢？

當大部分的人從事於演說等表演活動時，血液中的腎上腺素含量已經被證實會巨幅增加，而貝塔受體阻斷劑等可以阻斷腎上腺素作用的藥物，能夠抑制登台怯場症狀的發展。這類藥物之所以有效，乃是因爲它們可以作用在心臟及汗腺等器官的貝塔亞型腎上腺素受器上面。因而它們阻斷腎上腺素分子的作用，如此而防止受器被活化。

社交恐懼症患者之所以容易產生社交焦慮症狀，有可能是因爲他們不是分泌太多的腎上腺素，便是對腎上腺素的效力比其他人更加敏感。爲了測試腎上腺素對社交焦慮的影響，紐約州立精神病學研究所的精神科醫師拉斯羅・帕普，將腎上腺素注射到患有社交恐懼症的志願者的靜脈之中。如預料中，血液中的腎上腺素含量大幅增多，然而實驗對象並未經歷到強烈的社交焦慮症狀。單獨生理上的腎上腺素的增多，似乎不足以引發社交焦慮的症狀。或許，爲了要有充分的效力，腎上腺素含量必須被增加於腦部本身。要不然就是，依據沙克特和辛格的早期研究，腎上腺素的分泌可能只有在充滿壓力的社交場合中，才會促使社交焦慮的發生。

## 焦慮的心

另一個研究社交恐懼生理的方法是，測量一個正在經歷社交焦慮的人的身體。由於在雞尾酒會參加者身上拉上可探測神經生理活動的金屬線以及吸取血液樣本的管線，將會顯得笨拙，且可能奪走派對的樂趣，因此研究員在他們自己的實驗室更為方便的環境裡，嘗試誘使社交焦慮的發生。一個大家經常採用的途徑是，要求研究對象在實驗室裡做個短暫的演講。在某個研究裡，社交恐懼症患者以及沒有社交焦慮問題的對照對象，自願在對實驗室職員做一段十分鐘的演講時，接受測試。血液樣本經由一條靜脈管在規律的時間間距裡取得。結果這兩組實驗對象的血液，在演講之前及之中所測得的腎上腺素及其他壓力荷爾蒙的含量，並無不同。

然而，一個意外的發現是，患有不同種類社交恐懼症的人，在演講時會表現出不同模式的心率反應，此一事實已由數個研究小組的研究所證實。有表演焦慮的人在一個表演場合的第一分鐘裡，便會經歷到心率的急遽上升。不過這對廣泛性社交恐懼症患者來說，就沒有這麼明顯，即使他們對演講的恐懼一樣嚴重。因此，社交恐懼症患者也許可以分為兩類，每一類各有不同的生理反應。其中一類可能特別容易發生生理症狀的急劇變化，像是狂跳的心臟、臉紅、顫抖，以及流汗，尤其是在如演講等的表演場合中。另一類患者可能有較輕微的生理反應，但卻比較擔心別人如何在社交場合中看待他們。至於這兩類患者是否會對特定的療法產生不同的反應，還有待研究。

## 追蹤臉紅

假使有任何特定的症狀使人瞭解決定通往社交恐懼症生理的鑰匙，那麼也許就是臉紅了。臉紅乃是困窘最具代表性的症狀之一，而且並不令人驚訝的，一些社交焦慮患者會抱怨他們臉紅得太過嚴重。臉紅也提供了更明顯的證據來證明，社交恐懼的生理基礎與其他形式的恐懼不同。在遇到危險時所做的反應中，人們的臉色往往會變白，這是因爲臉部的血管收縮的結果。然而當人們在懼怕社交批評或困窘時，卻得到相反的結果。

臉紅眞正的生理機制，了解的人並不多。臉紅被認爲是皮下血管內血液量增多的結果。這種血管的充血乃是依賴管壁肌肉的放鬆。肌肉的放鬆則由血管自身所控制，且由循環於血液中的腎上腺素所影響。『臉紅區域』（臉部、耳朵、脖子，以及上胸）內表皮血管的天然彈性或許可以解釋，爲何臉紅通常侷限於這個區域。

當然，血管並非困窘唯一的信號。實驗室裡的科學家正在學習描述任何害羞的孩童未經訓練就會的動作——困窘的臉部表情。完整的表情包括移開目光、眼球迅速轉動、摸臉、遮嘴，以及在移開目光後，露出一個緊張、蠢蠢的微笑。研究顯示，即使有微笑掩飾，觀察者還是能夠辨別出困窘的臉部表情與高興的表情有所不同。困窘的研究對象比高興的對象更易往下看、更易游移他們的目光，以及更易將頭轉向別處。觀看錄影帶上的臉部表情的觀察者，能夠很有把握的從各種情緒中，包括高興、慚愧、生氣、噁心，以及歡樂，分辨出困窘來。至於困窘的臉部表情是否如其他一些基本的情緒，在不同的文化裡都相同，就有待進一步研究了。

## 『多巴胺』讓你臉紅？

另一條可以揭露社交恐懼症的生物基礎的途徑，乃是追本溯源地搜尋腦中會引發社交焦慮信號的化學因子。大部分有助於治療社交恐懼症的藥物，似乎是經由發揮它們對神經傳遞素的作用（傳經傳遞素乃是腦中在神經細胞之間傳送信號的天然化學信使）。Nardil以及其他『單胺氧化酶抑制劑』藥物能夠防止某些神經傳遞素的被代謝分解——像是多巴胺、正腎上腺素，以及五羥色胺——因此而增加它們的效力。Klonopin以及其他BZD類藥物會與神經傳遞素伽馬氨基丁酸的受體發生互動，以安撫腦中的焦慮途徑。Prozac以及相關藥物則是藉由制止神經傳遞素五羥色胺自神經細胞連會處重吸收回神經細胞裡，來發揮其藥理作用，這會提升五羥色胺的效力。雖然這些藥物以不同的方式在運作，它們最終的結果都是『把社交焦慮信號的音量關小』。這些藥物有可能是藉由矯正腦中某一特定神經傳遞素的缺乏或過多，來發揮效用，不過這種異常生理現象的細節則一直令人難以理解。

精神科醫師麥可·利伯茲所提出的一個假設是，多巴胺乃社交恐懼症的神經傳遞素之元兇。研究員發現，在憂鬱症患者裡面，性格比較不外向的患者的腦脊髓液中多巴胺的含量比較低。這意味著，社交恐懼症患者中性格較不外向者可能跟腦中低含量的多巴胺有關。另一個研究則調查帕金森氏症患者——他們的震顫是由腦中某一特定部位的多巴胺缺乏所引起——有關任何先前的焦慮問題。有百分之十七的病患報告說，在罹患帕金森氏症之前，曾經有明顯的社交恐懼症狀，此一比例較預期的還要高。這意味出一個可能性，就是說，多巴胺系統中的早期、細微的缺乏，可能使得這些患者更易發展出社交恐懼症，然後這個缺乏症才進展到更極端的地步而導致帕金森氏症的發生。然而，患有社交恐懼症是否更容易得到帕金森氏症，這一點我們還不清楚。

在社交恐懼症的動物案例裡，一系具有低度敵對行爲的老鼠被繁衍了二十五代。這些老鼠在與陌生老鼠做溫和的社交接觸時，會變得很壓抑，呆在那邊。(儘管人類以爲所有的老鼠都膽小如鼠，老鼠們顯然認爲還是有高低之分。) 這些『害羞』老鼠的腦與正常老鼠的腦主要的不同點是，前者的神經傳遞素多巴胺的含量比較低。

腦中的多巴胺在激發追尋樂趣的活動以及進入陌生場合的好奇心方面，佔有重要的地位。這一點已經由『測試動物爲獎賞而工作的動機』的實驗室研究所證實，像是經由壓下一根桿子來取得食物。腦中多巴胺較低的動物比較不願意爲了報酬而努力工作，牠們也對探索環境中的新奇特色較不感興趣，如一件新玩具。利伯茲推論，低多巴胺可能同樣會干擾到社交恐懼症患者的社交動機。儘管社交恐懼症患者渴望人際關係，他們似乎無力忽略掉接近陌生人的危險，因此也無法獲得社交互動的潛在報酬。社交恐懼症的多巴胺理論已由『單胺氧化酶抑制劑』藥物的有效所支持，這種藥物能夠促進腦內多巴胺的活動。不過雖然這個理論很吸引人，在我們將齧齒類動物的多巴胺缺乏與人們的社交恐懼症連結起來之前，它仍需要更多的試驗。

多巴胺並非涉及社交恐懼症的神經生物病變最具重要性唯一生化候選人。其他研究顯示，神經傳遞素五羥色胺在這個領域也佔有一席之地。在動物裡，五羥色胺已被證實對支撐社交優勢等級的腦內化學作用佔有極具關鍵性的地位，動物的優勢等級也就是社會群體裡的啄序，相當於人類的某些社會階層。如我們在之前所討論的，社交焦慮最初可能是從猴子演化而來，它是一種能夠保護低階個體免於遭受優勢成員攻擊的適應反應。

## 優勢地位的化學過程

研究者麥可·麥圭爾和麥可·洛利曾進行一連串的研究，觀察一群被俘虜的黑長尾猴的腦內化學作用與社交行為的互動情形。在穩定的黑長尾猴社會群體中，腦內五羥色胺含量較高的個體，比較容易從事於更為互相的梳毛以及其他友善的社交活動。以Prozac（或其他會促進五羥色胺活性的藥物）治療這些猴子，提高了同樣友善的社交活動的頻率。

黑長尾猴會自然地形成優勢等級，在這些等級裡，地位有它自身的特權。地位高的動物往往會被授予牠們所選擇的食物、睡覺的地方，以及社交夥伴。當一隻領導的優勢公猴死掉或失去影響力時（就此一品種而言，在野外，平均每十八個月一次），一場競爭便會隨之而起，以決定哪一隻公猴可以取代牠的地位。

洛利藉由移走十二個猴群中的優勢公猴，來研究五羥色胺對優勢競爭的影響，每一個猴群原本有三隻公猴。他把兩種具有不同效力的藥物測試在每一個猴群中剩下的兩隻公猴的其中一隻身上。每一種藥物連續施用四個星期，兩個四星期之間會空出時間來讓前一種藥效完全消失。其中一種藥物會增進五羥色胺的活動；另一種則會削減它。在每一個四星期的時段裡，當一隻動物接受會增進五羥色胺的藥物時，牠便會變得想要支配另一隻未受治療的公猴。相反的，在每一個四星期的時段裡，當一隻動物接受會削減五羥色胺的藥物時，牠就變得臣屬於另一隻未受治療的公猴。

藥物是如何影響猴子的社交運氣呢？洛利提到，接受治療的猴子傾向於遵循在野外才會發生的達成優勢地位的三個步驟：首先牠們增加與母猴友善的社交互動，接著當牠們在與其他成員發生衝突時，便會獲得母猴的支持，最後牠們在肉搏戰中擊敗另一隻公猴。

在穩定的社會群體中，五羥色胺含量在決定優勢地位的改變方面，可能就沒有那麼重要，這是因為這個地方的最高地位並無出缺的緣故。此一情形出現於另一個研究裡，在一個穩定的社會群體中，地位低的猴子接受會增進五羥色胺的藥物的治療。治療之後，這些地位低的猴子比較不會被猴群放逐，而且牠們比從前表現出更多友好的行為來。然而，有時候當牠們的地位提升時，牠們並不會變得想要支配其他的猴子。

但是這些研究對人們而言，到底有沒有意義？當然，我們必須記得，我們跟猴子不同。社會及文化因素——像是養育、特權、教育、傳統，以及偏見——在人類的社會群體中，皆會大大影響到誰的權力勝過誰。這些因素有可能壓過或減低純粹的生物學衝擊。

然而，無論是在何種文化下生存，我們仍舊是經過文化薰陶的動物，而且我們的行動由我們的進化遺產及腦內化學作用所影響。如我們在前面所討論的，社交恐懼症患者的確與其他不滿意自身地位的群居動物，共同享有某些特徵。似乎可以確定的一點是，人類的人際關係及優勢等級與腦內化學作用的相異之處，頗有關聯。腦內化學作用最有力的證據是最近才發現的各式各樣治療社交恐懼症的藥物效力，我們將會再探討。

## 由外測量腦內化學

在人們身上，神經傳遞素很難研究，這是因爲它們無法直接由人腦本身測得，不過測量它們的間接方法已經變得越來越進步。雖然人腦似乎設有天然的保護以對抗包括神經系統科學家在內的危險入侵者，研究員仍然可以由測試腦脊髓液及血液來測量出神經傳遞素分解後的代謝產品含量。這些代謝產品可能會反映出腦內相關神經傳遞素的活動情形。

對憂鬱症、恐慌症，以及強迫性神經症等其他精神疾病患者的神經傳遞素代謝產物的測量，有時候可以證實這些神經傳遞素的異常調節。到目前爲止，少數對社交恐懼症患者的研究的其中一些，已經顯示出異常的五羥色胺系統。然而，這些研究尚未穩固地建立起社交恐懼症任何特有的異常現象，而且還有許多實驗等著科學家進行。此外，這些間接的神經傳遞素測量法，像是它們在血液中的代謝產物的測量，其意義往往是不確定的。批評者將這個方法比喻成，藉由分析白宮的一個垃圾桶的內容物（包括已經由碎紙機所銷毀的文件），來嘗試了解白宮的政治策略。

不同於只是藉由測量某一時刻的神經傳遞素含量來拍個『快照』，一個更加強而有力的方法是，藉由施用某種單一劑量的特定藥物來挑戰它，以測試出某個神經傳遞素系統的運作功能。該神經傳遞素系統藉由釋出某些荷爾蒙到血液中，來對藥物做出反應。建基於血液中特定荷爾蒙含量所發生的改變，導致該反應的腦內神經傳遞素系統的活動，便可以被估計出來。

連這些技術都還是有嚴重的限制。因爲神經傳遞素之間皆進行著重要的互動，某一神經傳遞素的一個主要異常，可能會續發性的影響其他神經傳遞素以及腦內其他化學物質的含量上。許多活躍的神經傳遞素可能仍然處於被發現但無法被測量的狀況之下。最後的一個問題是地點。整個腦部的活動含量（如反映於腦脊髓液中）對某一特定的神經傳遞素系統是正常的，然而這卻會掩飾可能會造成嚴重問題的腦內各區域內此種物質的含量差異性。

## 描繪腦內的社交焦慮

有一條既可避開部分上述陷阱，但又能探入腦子裡的新管道：腦顯像學。最近的方法包括『正電子放射攝影』（PET）、單質子放射電腦攝影術（SPECT），以及核磁共振影像分析術（MRI）。這些技術允許更爲精確的腦部結構測量——對某些案例，這些攝影者甚至以反應腦部化學活動性。

杜克大學的精神科醫師近來使用核磁共振影像分析術，研究社交恐懼症患者腦中的各個部位。研究者發現，一個與人腦情緒電路有關的小結構，也就是『蒼白球』，其體積在患者腦中隨著年紀增長而縮小的程度會比一般人來得大。一般來說，大約是巴西核果一半大的蒼白球，是由一群位在腦內深部的細胞所組成。它包括許多含有多巴胺的神經細胞，所以，社交恐懼症中一個較小的蒼白球跟以下的假設是相符的：低多巴胺與社交恐懼症有關聯。

這些發現很吸引人，腦顯像技術最終可能會促使人們更加了解社交恐懼症的生理基礎。不過這些發現也是非常的初步，而且仍然有陷阱存在於複雜的電腦製圖的詮釋當中。因此，在我們能夠很有把握的做出結論之前，這些最初的研究結果還是需要重複的印證。

現今，可以確定的一點是，社交焦慮和社交恐懼症不僅僅是心理及社交現象，而且也是生理現象。它們有遺傳的成分，而且我們揭露了一些很有意思的生理及腦化學線索。然而，目前這些線索並無法清楚的指向一個有用的診斷試驗，或幫助我們選擇更特定以及更有效的社交恐懼症藥物治療法及心理療法。舉個例子來說，最後可能產生的結果是，有好幾種腦化學作用都會致使一個人罹患現在我們泛稱為社交恐懼症的病症，不過每一種形式可能只會對某一特定藥物做出最好的反應，抑或甚至對某一個特別的精神療法做出最好的反應。在有了新的診療工具之後，我們也許能夠消除任何的臆測，並且直接指引一個人施行最有可能成功的特定療法。

# 害羞心理學

如果我們的一切來自於是我們所重複做的事情之結果，那麼，優秀並不是一個行動，而是一個習慣。

——亞里士多德

在本章，我們將從幾個不同的心理學角度來檢視社交焦慮這隻野獸。一個測試任何心理學理論的法則是，它能如何深入地解釋一個人實際的社交行爲。該模式是否符合你自己的經驗？它是否預測出你在某些場合將會如何表現？它有無可能幫助你對付社交恐懼？每一個嬰兒都帶著一個特殊的天生性情來到這個世界，不過這個世界立即開始藉由嬰兒與它的父母的第一波互動，來影響其社交發展。很快的，這個孩子也經由觀察父母和兄姊如何與他人相處，而學習模仿社交行爲。自出生到死亡，充滿壓力的生活事件——從校園屈辱到愛人的死亡到工作的晉升——都可能戲劇性的重塑一個人的社交可能性及要求。所有這些影響導致了社交態度和行爲的發展——我們典型的思考及行爲方式——然後此一發展又影響了我們往後社交遭遇的結果。探索這樣的心理因素與社交恐懼有何關聯，將有助於改變擾人的行爲及思考模式。同一形式的了解已經導致克服社交恐懼症的療法的問世。

## 你的作法構成你的行爲規則

一條了解社交焦慮的途徑，開始於研究齧齒類及猴子的較單純顧慮。行爲心理學藉由將焦慮分解成各個不同的行爲，解釋了人類社交焦慮極度複雜的發展。試著要預測這些不同行爲的行爲模式，有助於從事進一步醫學科學性的研究。這些模式將人類意識的黑盒子置於一旁（我們也將暫時擱置它），以這個假設爲起跑點：人們所做的事情，乃是了解他們的問題的關鍵所在。此一行爲管道形成了認知—行爲模式的根基，而這個認知—行爲模式最近在解釋及治療社交恐懼症方面，變得聲名大噪。

著名的俄國行爲主義學者伊凡・帕弗洛夫先是藉由將聲音與肉的出現配對，來訓練狗對著節拍器的響聲流口水，不久之後，其他人開始應用他的聯想學習法來研究各種恐懼。小亞伯特的案例是一個有名的對恐懼的發展的早期行爲實驗，雖然它的方法以現今的道德標準來看，令人髮指。一九二〇年代該研究進行時，亞伯特十一個月大，住在一所孤兒院裡，行爲心理學創始人約翰・華特生，一邊敲響一個很大聲的鈴鐺，一邊將一隻毛茸茸的白老鼠放在亞伯特的面前。原本鈴鐺會驚嚇這個小孩，而老鼠不會。然而，在鈴鐺與老鼠配對之後，亞伯特發展出一個持久的恐懼，不只是對老鼠，只要是白色、毛茸茸的物體他都會害怕，包括貓、狗，以及甚至是一小撮的毛線。

這種半途發展出來的恐懼稱爲『古典性條件反射』，它可以解釋很大範圍的恐懼。一個到醫院去做會導致噁心及嘔吐的化學療法的癌症病人，可能會訝異地發現，後來每當他走過任何一間醫院時，便會有噁心及嘔吐的症狀發生。在這個案例裡，一個載滿情緒的經驗（化學療法引起的嘔吐）與一個先前爲中性的場合（靠近一家醫院），在此人的心中已經強而有力的連結起來。

同樣的配對也可能發生於社交恐懼。馬克是一個研究所學生，雖然他小時候容易害羞，但他已經成長爲一個外向、討人喜歡的男人。他原先一直對各種面談很有信心，不過有一天他在一個很重要的求職面談上，表現得很神經質，說話結結巴巴。進行面試者不但一點同情心也沒有，而且還有虐待狂。他跟馬克說，他顯然表現得很不成熟、搞不淸楚狀況，實在沒有資格來參加如此高階的工作面談。在這個痛苦的屈辱經驗之後，馬克發現自己只要一想到一個即將來臨的面談，無論壓力指數的高低，他都會產生一個自發性的驚恐反應。

一旦強烈的恐懼與一個特殊場合配對之後，它們便可能持續得很久很久，即使當這樣的配對毫無道理。尤其是社交恐懼，似乎很容易得到，但卻很難丟棄，這也許是因爲深藏於我們的進化史中的理由，如我們在前面所討論到的。對馬克來說，他所接收到的出乎意料之外的嚴酷批評，在參加面談與極端焦慮的情緒之間，僞造了一個很強的連結關係。馬克幸運的一點是，他能夠設法找出新的正面情緒的經驗來與面談配對，而且最後他有了明顯的進步。另一方面，小亞伯特在華特生的實驗後不久，便離開了孤兒院，我們也許永遠無法知道，他後來是否克服了對白色毛皮的恐懼症。

我們從幾個研究的確可以獲知，大約有一半的社交恐懼症患者會憶起一個似乎會引燃他們的問題的受創事件。這些受創事件通常跟一個社交場合中所發生的屈辱經驗有關，像是在做展示報告時，由於膀胱失去控制而受到國小二年級全班同學的嘲笑。有特定社交恐懼的成人，像是對演講的恐懼，似乎比有廣泛性社交恐懼的成人，更可能憶起一個受創事件。然而，從這些研究裡，我們仍然無法做出有關社交焦慮根源的結論，這是因爲兒時記憶的不可靠性，以及因爲困窘的經驗可能對性情原本害羞的孩童更具殺傷力。

## 賞與罰：形影不離的兩種動力

在許多有社交恐懼的人身上，找不到如此會造成創傷的點火線。相反的，恐懼似乎是偷偷摸摸地潛入一個人的生命中。『操作性條件反射』乃是『古典性條件反射』理論的變奏，它將這些恐懼解釋成一長系列小的負面經驗的高潮，而非對單一受創事件的反應。

開始於一九二〇年代晚期及一九三〇年代早期，心理學家B.F.史金納在哈佛大學藉由訓練鴿子打乒乓以及老鼠做許多事情，來精練操作性條件反射的原則。他設定條件的形式，牽扯到使用獎賞來鼓勵某一特定的行爲。史金納相信，所有的行爲，包括充滿恐懼的反應，完全是由於過去經歷到跟隨在同樣行爲之後所產生的後果，而以可預測的方式所塑造出來的。如果一隻老鼠因爲走到籠中某一角落而受到電擊（一種懲罰），牠將來便會避免到籠中的這個角落來。如果老鼠因爲走到籠中的另一角落而獲得一顆食物丸，那麼牠便會再度造訪。

人們也會對操作性條件有所反應。如果在成長過程中，我們因爲某些社交行爲，像是演講，而得到我們的父母、老師及朋友的讚美與獎勵，我們便比較有可能在別人面前發言時，感到自在一些。如果我們因爲我們說話的方式而經常受到批評（一種處罰後果），那麼我們就比較有可能發展出恐懼，害怕做正式的演說。

儘管『我們先前的獎勵與處罰經驗會影響到我們目前的社交行爲』此一觀念，可能聽起來很有道理，這個主意往往與人們的想法相互抵觸。人們常常會把就在某一特定行爲之前所產生的感覺或事件，視爲該行爲的重要『原因』。海洛會說『我把演講時間縮短是因爲我很緊張，』他不會說『我把演講時間縮短是因爲，在過去的經驗裡，每當我停止演講時，我的焦慮便會消失。』在後面這個觀點中，影響海洛行爲的是焦慮消失這個獎賞。

那麼這些細微區別的重點爲何呢？當『古典性條件反射』模式要求社交焦慮者憶起引發社交恐懼及迴避的早期受創事件時，操作性模式所問的問題乍聽之下似乎非常奇怪：『在進入與離開社交場合時，我經歷了哪些正面與負面的後果？』雖然海洛想得最多的後果是演講失敗所帶來的屈辱及自我貶抑，暫時從焦慮解脫出來的這個被忽略的後果，也驅動著他做出有問題的行爲。對海洛而言，解脫的拼法是E-S-C-A-P-E（逃避）。海洛的逃避使他自不愉快的焦慮症狀解放出來，且讓他不用忍受聽衆嚴苛的表情及批評。

古典性和操作性條件反射所強調的並非如恐懼及焦慮等複雜情緒經驗的衝擊，而是特定問題行爲的影響。一個在回答問題時經常被老師批評的學生，將開始避免在班上舉手發言。一個唱歌經常被忽視或嘲笑的國小女孩，可能數年之後沒有信心參加高中的合唱團。她甚至會逐漸變得想要逃避任何有牽扯到唱歌的活動，像是跟朋友挨家挨戶唱聖誕頌歌。

同樣的條件反射模式也提供了一個改變問題行爲的基礎。譬如，如果他的老師懂得稱讚他的答案之中可以被接受的部分，那麼經常被批評的孩子就會比較願意舉手發言；如果其他人以更為正面的態度回應，那麼喜愛唱歌的小女孩就可能應付得比較得宜。藉由把焦點對準特定行為，這些模式繞過了心智內在運作不為人知的複雜性。

行為模式的簡單性，儘管明確，已經遇到挑戰。有些人相信，為了能夠了解人們，思想及感覺需要獲得更多的注意力。『認知主義者』指出，假使恐懼者拒絕接受讚美，一心擁抱著對困窘非理性的恐懼，那麼世上所有的讚美加起來，都無法趕走一個社交恐懼。進入焦慮的『思考心智』，提供了不同的方法來解釋及對付社交恐懼。

## 你的想法構成你認知的聯繫

在海洛進入宴會廳敬酒之前的幾秒鐘，幾個負面的想法侵入了他的意識：『如果我忘掉打算要說的話，那怎麼辦？他們會把我看成傻子……。』海洛開始顫抖，他相信別人會注意到他，以為他已經緊張得不成人樣。他打量了一下宴會廳裡的人，看看觀眾們是不是已經認出他的問題。

當我們考慮我們的想法如何影響我們的感覺時，我們就是在使用一個認知模式。此一模式暗示，一個專注於通常為不正確或不眞的負面想法的傾向，乃是造成負面情緒反應的一個原因。因此，當海洛加入朋友和家人之中敬酒，發現自己正在想『我說不出什麼精采的話來』時，他的情緒便從有信心的狀態快速轉變成恐懼、無助，以及最終的沮喪。

對某些人而言，這些負面想法有可能成為他們在社交場合中悲觀看法的一部分。一個具有這種負面『認知格調』的人可能認為『社交活動總是使我緊張』或是『當人家要求我敬酒時，我永遠也想不出什麼營養的話來說。』對其他人而言，有關社交場合的負面想法只是偶爾才會發生，而且往往在意料之外。即使平常喜愛聚光燈的高明演說家，也可能在上台之前有負面的想法，像是『他們不會喜歡這次的演講』或是『我可能會結結巴巴，忘掉想說的話。』緊跟著這些想法之後的是緊張及焦慮，不過它們往往在演講開始後的前一、兩分鐘之內便會煙消雲散。

不管是持續或偶爾，充滿恐懼的想法往往會以自發的形式出現，很像是前文提到的那位化學療法患者，在走過一間醫院時所產生的條件反射後的噁心感。海洛會說『我看到那些坐在我面前的賓客，然後發現相同的困窘恐懼佔據著我的腦子。』對海洛及其他人而言，這個自發性想法通常是由某一特定的導火線場合所引發——在這個案例裡是面對一屋子的人。該負面想法也攜帶著任何其他懲罰後果的力量，像是被觀衆所譏笑……只是這次，該懲罰來自於內在。甚至即使沒發生任何問題，一心想著負面的事情可能會提升對某一原本並不危險的場合的恐懼。

因此，如果社交恐懼症患者並不只是如許多人所以為的意志薄弱，而是在他們的思想過程中犯下了實際的錯誤，那麼這個情形應該可經由實驗測出。事實上，『懼怕社交的人在社交場合中的想法與其他人不同』此一觀念，已由數個獨立的研究所支持，如牛津大學心理學家大衛·克拉克的研究小組最近所進行的一個研究。研究員著手試驗，當社交恐懼症患者在判斷他們自己談論有關日常活動的能力時，是否存有負面的偏見。他們用錄影機錄下三組人的簡短交談，包括經過證實的社交恐懼症患者、經常焦慮但不是患者的人，以及沒有焦慮問題的人。之後，被實驗者判斷他們自己的交談品質，列出他們所憶起的在交談時所產生的想法——正面、負面或中性。然後由心理學家擔任的觀察員看著影片，獨立地為每個實驗對象的交談品質分級。

與其他二組實驗對象相比，社交恐懼症患者對他們自己的表現有更多的負面想法。他們實際上也多多少少沒有其他二組表現得好，不過更重要的一點是，他們一直低估自己的表現品質。換句話說，即使當他們表現得不錯時，社交恐懼症患者依然相信，他們在交談中已經帶給別人很不好的印象。總覺得自己表現不佳的人，為自己否決了自然跟隨在良好表現之後出現的『正強化』。這是社交恐懼症干預自信心正常發展的一個方式。

## 思想走偏的地方

有社交焦慮的人報告說，他們所特別懼怕的場合會引發很多各式各樣的自我批判想法。例如：在公眾演講、參加派對邀對方外出約會、及要求老闆加薪等等場合的自發性負面想法。

『他們會認為我是個混蛋才會跑上台去。』

『我一定想不出什麼營養的話來。』

『我的手會顫抖得如此厲害，以至於無法拿起飲料。』

『如果她注意到我臉紅，她就會不想和我出去。』

『他會覺得我長得很好笑。』

『她鐵定會拒絕我。』

『上次沒問題，並不代表這次也會OK。』

這些充滿恐懼的思想往往會一個接一個的發展下去。一位相當稱職的牙醫師擔心，當他在看病時，他的手可能會顫抖到讓病患發現。然後他想像，他無法補牙的消息會在他的病患之間傳開來，最後他將會在破產法庭失去他的工作。在工作泡湯之後，他會失去他的房子及財產，他的太太和孩子也將離開他，去尋找一個更好的丈夫及父親。剛開始只是一閃而過的有關一件不可能的事情的負面念頭，最後變成了一大串越來越嚴重的悲觀想法。整個過程只花幾秒鐘的時間，卻導致牙醫師經歷了他最災難性的恐懼，再加上焦慮情緒的洶湧沸騰。

那麼人們爲何對某些社交場合如此在乎，對另外一些又不然呢？根據如心理學家馬克·利里等『自我呈現』理論家的說法，每當兩個特定條件發生於一個狀況中時，人們就會產生社交焦慮。第一，此人必須相信，給別人一個好印象很重要。第二，此人必須懷疑自己給別人好印象的能力。一個首次到一家公司找工作的法律系學生，將會很想帶給別人良好的印象。一般來說，她可能會覺得，任何一個面試官都會發現她討人喜歡。然而，假使她相信，在這種情況下，她需要給別人一個好得不得了的印象（而且懷疑自己有此能力），那麼她可能會變得焦慮不安。

除了社交呈現的重要性之外，其他社交表現的品質會使得此一活動特別容易受到扭曲。有關社交表現的想法，往往所強調的不是未來的事件，便是別人的看法。然而，我們永遠無法眞的確定別人會如何看待我們，而未來也不能確實地被預測出來。由於要測試出這兩種想法是不可能做到的事情，所以要辨認出社交恐懼的不合理並不容易。無法被認出不合理的恐懼，是不能被排除的，因此它們傾向於逐漸惡化。

有社交恐懼的人通常以三個廣泛的方式來不正確地思考未來。第一，他們爲自己設下不切實際的目標，且以爲任何未及他們目標的成就，就是失敗。第二，他們高估了失敗發生的可能性，將大膽的推測看成宛如它們就是事實。第三，他們誇大這樣一個失敗的負面後果的嚴重性。舉個例子來說，海洛相信他自己的演說必須做得很完美（不切實際的目標）。他不只納悶著他的演講實際上會進行得如何，他還極爲肯定地覺得，他的表現將會奇差無比（高估失敗的機會）。他不僅擔心觀衆席裡的某人會對他失望，而且還懼怕，最後每個人都會把他看成傻子（誇張負面後果的嚴重性）。

阿伯特・艾利斯是認知理論的一位很有影響力的創始者，他認爲，大部分的情緒問題都跟對這個世界的負面想法或臆測的中心範疇有關聯。他將這些思考錯誤濃縮成數個形式的想法，像是『我必須完美』或『我必須被每一個人所喜愛』。當然，死抱著這些絕對想法的問題所在是，它們不可能實現。總是『必須』做這個或『必須』做那個的人，鐵定無法達成自己的目標。

然而就如同純行爲理論有一些漏洞，純認知理論也是如此。假使這些想法果眞這麼離譜，那麼它們爲何沒有被經驗證實是錯的？在正常的情況下，人們應該會從他們自己的過錯中學習。爲什麼這些過錯會一犯再犯呢？近幾年來，研究者藉由結合認知及行爲理論與他們個別的療法，來解答這些疑問。雖然合成後的認知及行爲療法最初被用來治療憂鬱症，類似的技術現在已經用在社交焦慮上了。

## 想和做：認知—行爲模式

認知—行爲模式乃是結合社交焦慮的思考及行動層面。這些模式認出思想模式對社交行爲的影響力——對演講非理性的恐懼顯然會導致對演講的逃避。另外較不明顯的是，它們也認出了行爲模式對充滿恐懼的想法的影響力。對演講的逃避會致使恐懼症患者，無法擁有能夠驅散他們最嚴重的恐懼的正面經驗，因此它最後會使得同樣的恐懼更加強化。因此，一個同時針對矯正問題想法及行爲的療法，便具有增效利益。

一位同事敍述了她參加她的第一個國際會議的故事，在這個會議上，她將發表一篇報告（主題是焦慮的認知層面！）。在雞尾酒會上，從全球各地而來的研究者正三五成群地交談著。我們的同事留意到，她自己在進入偌大的宴會廳時，感到很緊張。當時她問自己怎麼會這樣，然後她發現她正想著，其他每個人似乎都互相認識，他們都聊得很愉快，而且由於她是個陌生人，沒有人會對她有興趣。

她了解到，不可能全部的人都對她沒興趣，因此她加入了一小群正在熱烈交談的人當中。很不幸的，這些人的確似乎沒有把她看在眼裡，她有被拒絕的感覺，於是站出來再尋找別的人群。她提醒自己，她只能控制自己的行爲，而非別人的反應，如果她能主動對人們說話，那麼他們將比較有可能跟她說話。

雖然很緊張，她還是很快地挑選了另一群參加者，『跳了進去』，且試著加入他們的會話。剛開始她說得又急又緊張，不過後來她放鬆下來，盡情地享受交談的樂趣。最後的發展是，她變成了其中兩個人的好朋友，而且甚至跟其中一人在一年之後共同發表了一篇報告。她的認知性自我分析讓她改變了自己的行為，並且經由陶醉於談話時所經歷到的緊張解脫以及其他成員正面、友善的回應，她在會議上的社交技巧因此而獲得了『強化』。

就如正面的經驗能夠建立信心，負面的經驗也會增加恐懼。有社交恐懼的人往往會憶起在某些社交活動中不舒服或甚至是嚇人的經驗。我們的一個患者敍述她的哥哥如何不斷的在家庭聚會上批評她的行為：『妳為什麼用那種眼神看他？』『難道妳不知道怎麼跟人家打交道嗎？』她把這樣的批評視為懲罰，不僅造成了她的社交恐懼及逃避，而且還使她以負面的觀點看待自己。

## 認知—行為的歷史觀點

根據認知—行為的歷史觀點，一個人在任何社交場合中的想法及行為，乃是此人在類似的社交場合中所有正面與負面經驗的產物。一個極端令人不快的經驗，像是絆倒且跌入派對上的潘趣酒碗裡（而且將它看成一個讓人很丟臉的大災禍），可能會致使一個人此後避免接近類似的派對（或潘趣酒碗）。

利昂是個合群的國小六年級學生，在一件使人困窘的意外發生之後，他突然開始避開社交活動及舞會。一個專門欺負弱小的學生曾經在當地的青少年活動中心，當著一群同儕的面前，把利昂的褲子扯下來。利昂感到非常的沒面子，雖然他先前有過參加校園舞會的正面經驗，現在每當他走過或甚至想到這個活動中心時，他便會臉紅，且焦慮起來。

在嘗試了解利昂的經驗時，認知—行為觀點會考慮利昂正面與負面的社交經驗歷史、他目前對該事件的想法，以及他的逃避行為所可能導致的後果。這三種原料——經歷的結果（自童年到成人所經歷的獎賞及處罰）、認知行為（思考方式的特徵），以及眞實生活中的後果（目前行為的獎賞及處罰）——全部混合得就像是一個輕輕沸騰的燉鍋：個別的因素可以確認出來，不過它們的效果經過混合之後，會製造出一個整體的反應或情緒。

利昂似乎是因為一件受創事件而發展出社交恐懼症的。然而事實果眞是如此嗎？實際上，經由一些過去的經驗以及一個負面的認知格調，利昂早就比較容易發展出恐懼症來。

因為一個天生的成長問題，利昂的身高一直比他的同學們矮個幾英寸。他由母親一手撫養，她是如此擔心她兒子的矮短身材，以至於她試著想要一直待在兒子的身邊，隨時準備保護他，以免他受到惡霸同學的欺凌。由於觀察到他母親對危險的擔心以及因為他自己的遭遇，覺得同學們會攻擊、傷害他，利昂發展出一個對其他孩童的特殊看法。他以為，跟他同年齡的孩子都喜歡跟他一較長短。利昂於是藉由投射出一個硬漢形象來對付此一情形：任何想找他麻煩的人一定得付出跟他大打出手的代價。他的策略使他外表看起來很有自尊及自信，不過他的缺乏基本信任使得他很難找到朋友。

當利昂在不幸的那一天前往活動中心的舞會時，他就是帶著這些思考及行為模式去的。雖然利昂實際上曾經在兩場先前的舞會裡有一些很愉快的社交經驗（他在裡面講了一些讓同學們開懷大笑的笑話），其實他的大部分歷史是一個將其他孩子視為危險份子的小孩。就是這個小孩在數十位同學面前，突然被一個惡霸扯下褲子來，且遭受到幾個男孩的嘲笑。原本利昂預期一個很快樂的舞會，最後這個舞會卻讓他受到極大的傷害。用來強化的食物丸（記得史金納的老鼠嗎？）變成了一記劇烈的電擊，此後每當他看到青少年活動中心時，便會勾起他痛苦的回憶以及不切實際的恐懼，擔心大家都把他看成一個失敗者。

## 社交技巧

當然，有時候有嚴重社交或表演恐懼的人，在預期遭到拒絕或是認為他們不知道自己正在做什麼時，他們的感覺一點也沒錯：他們的確缺乏重要的社交技巧。為何有人似乎較難習得特定的技巧——像是演說、約某人出去，或是在舞台上表演——其原因我們並不清楚，不過逃避有可能是其中一個因素。逃避他們所懼怕的場合的人們，可能在發展技巧方面落後給他們的同輩，這是因為他們沒有機會練習及學習。社交技巧不良的人們比較有可能懼怕困窘，且陷入困窘之中。

所以雖然社交技巧的缺乏可能是一個促成因素，『它是社交焦慮的主因』此一觀念，卻未能獲得一大票技巧好得不得了的社交恐懼症患者的支持。沒有人會質疑勞倫斯・奧利維亞的戲劇表演能力、芭芭拉・史翠珊的歌唱能力，或是前紐約梅茲隊捕手米奇・賽瑟的丟球能力，然而他們都曾公開承認他們有舞台怯場這一型社交恐懼。除了這些有趣的軼聞之外，研究顯示，社交恐懼患者傾向於以負面的角度來詮釋自己的社交行爲，而這個角度卻是獨立於實際品質之外的。

焦慮所造成的分心及干擾似乎比社交技巧的缺乏更容易導致笨拙的社交行爲。一旦焦慮接手之後，人們便會遺忘他們想說的話以及做事的方法。有社交恐懼的人可能會以爲他們只是在社交方面無能，而事情的眞相是，他們的恐懼在壓抑他們原本很不錯的社交技巧。

## 三系統模式

儘管認知－行爲模式具有探入心智及觀察行爲這兩個優點，傳統上它們並未直接檢視我們體內所經歷的感覺這一個額外的因素。心理學家彼得・藍恩所提議的三系統模式，爲想、做，以及生理感覺此三層面提供了一個重要的連結關係。認知、行爲，以及生理因素全部結合起來，製造出我們稱之爲焦慮的勢不可擋的情緒。這些因素可能以不同的結合及不同的方向在運作。

對於懼怕打冷不防電話來開發顧客的證券經紀人而言，焦慮可能以數種方式把雪球越滾越大：

『我今天還沒準備好要打電話。』⇓ 手掌開始流汗(生理反應)
(認知)

『我正在流汗，我一定是一團糟了。』⇒繞著辦公桌踱步（行爲反應）
（認知）→

『他們會發現我是這麼的緊張⇒然後覺得我是個混蛋。』⇒心臟狂跳（生理反應）
（認知）→

『我一團糟了，最好離開這裡！』
（認知）→

離開辦公室（行爲反應）⇒經歷到緊張的解脫（生理反應）

有些容易算錯社交災禍風險的人，也可能傾向於更會覺知到快速心跳等身體感覺。此外，他們可能高估別人注意到他們自己臉紅或流汗等症狀的可能性，以及高估如果別人留意到該症狀，便會產生負面回應的可能性。當一個擾人的身體症狀，像是臉紅，經由如縮短會話時間等逃避行爲而獲得緩解之後，此一症狀的解脫可能成爲一個強而有力的獎賞，進而鼓勵將來的逃避。

藉由把焦慮分解成它的構件，三系統模式便有助於設計出改變程式來。將療法瞄準這些特定的構件，遠比瞄準無形而全面的焦慮經驗容易多了。所以我們能夠運用認知技巧來矯正負面的思考方式、暴露療法來對付逃避，以及特定的放鬆技巧或藥物來紓解生理症狀。

思想、感覺，以及行爲模式，既有助於解釋我們爲何在任何特殊的時刻感到焦慮，又能提供療法的指引。我的負面想法如何促成我的焦慮？我的身體有何變化？在這些可怕的社交場合中，我做了什麼？然而，單單這個模式並無法解釋這些想法、感覺，及行爲發生的地方。答案的其中一些，存在於童年。

## 社交焦慮的童年根源

社交焦慮是如何開始的？大部分的孩童會經歷一段正常的社交恐懼期。大約在六個月大，當一個孩子開始逐漸發展出檢索記憶的能力以及期望看到某些熟悉的成人臉孔時，對陌生成人的恐懼便會發展出來。在回應一張陌生臉孔時，一個小孩可能會繃緊肌肉，然後嚎啕大哭。這種『陌生人焦慮』一般來說在八到十個月大，達到最高峰，然後在十五個月大之前，逐漸消失。孩童對陌生孩童的恐懼與這段期重疊，不過通常開始及結束得比較晚。一個小孩到了二十個月大時，這些恐懼往往大大地減輕。然而，對一些小孩而言，它們可能消失得極爲緩慢，或者一點也沒有減輕，進而發展成眞正的羞怯個性，並且可能罹患社交恐懼症。

困窘或社交焦慮的童年發展，可能有兩個階段。第一個階段是當孩童變得覺知到自己會成爲別人注意的目標時——對一些小孩來說，大約是在十五到十八個月大之間。這型社交焦慮與成人困窘相符的地方是，單純成爲注意力的焦點。發生的時機則是，進入一個別人已經入座的房間，或是被一群朋友圍起來唱『生日快樂歌』。它牽扯到單單被看到，與被判斷或遭受屈辱無關。

一個形式更爲複雜的困窘在往後的日子裡開始出現，約莫在二到三歲時，當孩童發展出推理能力，開始將規範社交行爲的法則及標準施用於自己身上時。舉個例子來說，在此一階段，一個被要求向她的叔叔問好，但卻忘記他的名字的女童，會體會出自己無法滿足一個社交期望。結果，她的臉紅起來，顯得難爲情，露出任何成人都會認出的困窘模樣，即使三歲大的女童仍然缺乏能夠描述自己情緒的語言能力。

如我們在前面討論到的，許多孩童似乎天生容易害羞，遺傳到一個羞赧的個性或性情。然而，即使害羞有一個很強的遺傳或生理構件，它依舊會受到童年經驗的影響。一個經常被研究的環境影響形式，乃是父母的過度保護，這個現象已被證實會加劇童年對社交活動的恐懼及迴避反應。

## 父母的影響

梅西報告說，自從有記憶以來，她一直是很容易害羞的人。童年時，她跟成人的相處比跟同年齡小孩的相處來得愉快。當時她對其他小孩子所從事的活動很感興趣，不過她選擇留在一旁觀看。上教堂或拜訪親友時，梅西會一直黏在父母身邊。雖然她的父母允許她這樣做，但他們卻同時會責怪她不跟別的孩子一塊玩耍。

許多研究發現，有社交恐懼症的成人傾向於憶起他們父母的過度保護，禁止他們從事其他孩童可以從事的活動，不過在此同時，所提供的批評總比讚美多。一個對三十九個德國家庭所進行的長期研究發現，在她們的女兒出生後兩年半內意志消沉或過度保護孩子的母親，較有可能撫養出六歲大的害羞女兒。『該研究並未在男孩身上發現相同結果』的這一個事實，致使研究人員臆測，男孩的害羞可能與他們母親的教養策略較無關聯。

然而為何過度保護的教養會導致一個小孩暴露於社交害羞及迴避的風險之中呢？極度關心他們兒女的父母傾向於把兒女孤立於其他孩童之外。他們希望他們不要跟其他孩童玩在一塊以及參加派對，而且他們可能會強調這些活動所牽扯的社交危險，而這些活動卻剛好又是發展社交技巧及交友的唯一訓練場所。被過度保護的孩童待在家裡看電視或在房間裡玩電動玩具的每一個週末，都是一個個被丟掉的學習如何與家人以外的人們交談及相處的機會。

然而，即使最被過度保護的孩童，也會暴露於某種社交活動當中。想像這個孩童正要跟其他同學前去參加一個他平常極少參加的派對。如果他懷有一個想要交際的慾望，那麼他便可能把這個派對視為一個事關重大的表演事件，一個他根本準備得還不夠的表演。焦慮於是升高，而且失望的機會很大。

吹毛求疵的教養也會導致社交恐懼。自孩童很小時便開始追蹤的長期研究顯示，感覺到父母要求嚴苛的孩童，傾向於對別人的想法及批評變得很敏感。這些孩童經常會吸收他們父母批評的聲音：『我沒什麼營養的話好說。他們會認為我竟然跑去參加派對，簡直是個笨蛋。』持久的批評可能導致孩童廣泛擔心被他人判斷或評析，這是有社交恐懼的人最擔心的事情。

蕾拉塔是一個三十歲大、有兩個小孩的母親，她從小就有社交恐懼，特別懼怕跟陌生人會面以及在正式會議或大學課堂上發言。小時候生長在一個只有她這個小孩的軍人家庭裡，她覺得她的父母親非常的嚴格，並未鼓勵她外出和其他小孩做朋友。除了被過度保護及毫不妥協的父母所撫養之外，蕾拉塔的社交接觸也少得可憐。這個社交活動的缺乏剝奪了她練習社交生存技巧以獲得自信的機會。

來自她父母親的批評變成了她的『內置擴音器』的一部分。它們變得如此大聲，以至於阻斷了所有有關她的社交能力的正面想法。長大成人之後，她憶起小時候她告訴自己的話，『我不知道如何講出大人愛聽的話。我說話總是含糊不清。我永遠不能變成有用的人，因爲我只會說些蠢事情。我猜我眞的很笨。』當內置擴音器正在大聲播放這些負面想法的同時，她的神經系統也在啓動焦慮感，她的自然反應變成是逃跑及躲藏。對蕾拉塔而言，酒精後來成爲助長這種逃避反應的工具。但這個方法只是短時間有效，它最後產生極爲嚴重的酗酒問題。

蕾拉塔把她父母的批評全聽成負面的，不過人們接受批評的方式存有很明顯的不同點。有些成人的臉皮很厚；他們可能或多或少了解，表面聽起來似乎是負面的批評，實際上可能是好意的。他們不喜歡接受這種回應，不過他們也不會把它看成如此的可怕或深具毀滅性。另外一些人似乎天生就對被拒絕極端的敏感，而且他們無法理性地應付人家的批評。無論孩童的個性如何，他們特別容易受到批評或拒絕的傷害。害羞的孩子心想『如果他不喜歡我到他家玩，那麼他一定是認爲我很沒趣，而事實也一定是如此，』自尊於是就此瓦解。有經驗但害羞的成人，由於他有機會發展自尊以及了解自己的高度敏感，可能會擁有其他的想法：『我最初以爲他覺得我沒趣，不過這是因爲我過度的反應，應該還有別的解釋才對。』

大部分對過度嚴苛教養的研究的一個限制是，它們太過依賴成人對兒時如何被父母對待的回憶。即使這些回憶是正確的，這些研究最終的結論頂多也只是跟一個小孩對父母行爲的覺知同樣正確。由於有社交焦慮的孩童對批評的話語極爲敏感，他們可能會高估父母及師長對他們的要求。一個有社交恐懼症的小孩可能會說『我可以看出老師並不喜歡我，因爲我還不夠聰明，』即使他的老師其實大致上是個會鼓勵學生的好老師。自童年開始，社交恐懼用此一方式干擾一個人收集及分析社交資料的能力。譬如，我們充滿恐懼的婚禮敬酒人海洛，他在致詞時可能傾向於將焦點放在群衆之中表現出無聊或板著臉孔的一、兩個人身上，而忽視了大部分感興趣的快樂觀衆。

當然，一出生就容易害羞的孩童可能會使他們父母想要提升社交活動的努力遭受到挫折。對害羞兒女與其他小孩交談或邀他們玩耍的遲疑，個性不害羞的父母可能會不知道如何適當地處置。結果，他們可能開始強迫他們的孩子，這個情形往往會導致挫折感以及更多強迫、嚴苛的批評。害羞的父母由於不希望他們的孩子遭遇他們曾經經歷過的痛苦，也有可能做出同樣的嘗試，在社交方面逼迫他們的孩子。然而，更常發生的情形是，他們會藉由提供逃避管道或將他們留在家裡，來試著保護他們的孩子。如此一來，自己容易害羞的父母有可能提供致使害羞行爲永久持續下去的家庭環境，增強遺傳及環境的影響力。

## 佛洛依德觀點

心理動力學模式也把早期的生活經驗視爲焦慮的來源，雖然它們並沒有特別針對社交焦慮提出見解。佛洛依德曾經描述他初期的一位病患弗拉·艾美的社交焦慮症狀，不過他選擇把治療專注於其他症狀之上。佛洛依德認爲，恐懼症大致起源於嬰兒期或童年早期的受創經驗，這些經驗會把擾人的恐懼與侵略慾望或性慾趕入潛意識裡。他暗示，當某些往後發生的狀況激起這些舊情緒時，其所導致的禁忌慾望的潛意識衝突便可能進入覺知領域裡。

『社交焦慮乃是意識或潛意識衝突的彰顯』此一觀點，與一個焦慮的人在進入他所懼怕的社交場合時，所表現的一些典型的矛盾行爲不謀而合。譬如，海洛在快要致詞時，會顯得猶豫不決，在最後決定走向麥克風之前，他會先站起來，然後又坐下去，緊張地把玩著雙手。在社交互動中，一個有社交焦慮的人可能會不時地露出微笑，與對方做目光接觸，不過他接著會不成熟地把目光移開，低下頭去。這些往往不是經過考慮、有意識的決定。

『潛意識對社交恐懼有所影響』此一認知，也有助於我們了解，爲何即使當有些人所受到的社交注意其實是相當中性時，他們也會感到困窘。譬如，當某些人在會議上被介紹或是被親友圍著唱生日快樂歌時，他們所經驗的困窘似乎不具『有意識的』基本原因。然而，我們並不清楚，這樣的自發反應是否意味著，潛藏衝突的存在肇因於對被別人注視的天生敏感，還是另有其他原因。

瑞士心理分析師榮格不贊同佛洛依德把性視為許多人類行為的主要動力，他還介紹了『內向』與『外向』這兩個詞來描述兩種基本個性。把自己歸類為內向性格者的榮格，將『內向』描述成一個專注於內在及個人對這個世界的內在反應的傾向。雖然榮格並未將社交焦慮本身視為一個問題，他對內向性格者的描述與社交恐懼症的特徵卻有許多重疊之處：

在一個大型聚會上，他感到寂寞、不知所措。越擁擠的聚會，他的抗拒就變得越強。他一點也沒有『融入』，而且對熱鬧的聚會不感興趣。他不擅交際……他會顯得很拙，完全放不開……他把自己的優點都留給了自己……他……總是非常懼怕自己會出洋相，往往極為敏感，在自己身邊圍上一圈如此濃密、無法突破的帶刺鐵絲網，以至於他最後寧願做其他的任何事情，也不要坐在它的後面……世界在他的眼中缺乏亮麗的色彩，因為他非常的吹毛求疵，習慣在雞蛋裡挑骨頭。在正常狀況下，他悲觀且憂心忡忡，因為這個世界上沒有一個好人，所以他從未感到被任何人接受及信任。然而他自己也不接受這個世界，因為每樣東西都得經過他那嚴苛的標準所批判。

近代心理分析理論家把某些社交焦慮視為自戀癖的彰顯。符合此一模式的焦慮患者，其自尊完全依賴別人持續的讚美，以及依賴優越感和被別人羨慕的錯覺，而非建基於較不輝煌但卻比較穩定的內在自我價值觀。這種草率披上的自尊一旦遇到批評或平凡，便會應聲瓦解。事實上，許多有自戀障礙的人，其猛起猛落的自尊心在一生中大部分的時間裡都處於低潮。如此不穩定的自尊心可能起源於童年與極端嚴厲的父母所建立的毫無安全感的聯繫，要不然就是，父母的愛以孩子必須符合他們的期許爲條件。我們將在下一個案例討論到，一個孩子可能會『內化』一個嚴苛家長的信仰，因而變得很會自我批判，且其潛意識以爲其他人也同樣嚴厲地要求他。

舉個例子來說，二十五歲的辛西亞是一個迷人的會計，除了搞不清楚爲何缺乏她極爲渴望的浪漫關係之外，一切過得很好。她唯一知道的事情是，一想到被男人拒絕的可能性，便會感到非常的害怕。在治療的過程中，有一點變得很明顯，那就是，在她的成人生活中，她與男人的關係經歷了兩個階段。在第一個階段裡，只要有男人約她外出，她便會答應，一點都不挑，她往往在第一次約會就跟男人上床，誤以爲這樣子會使男人對她感興趣。被拒絕了許多次以及與一個不斷批評她的自我中心的男人經歷了一段很慘的關係之後，她進入了第二階段：在過去的兩年裡，由於相信最後她都會被拋棄，所以她避開了所有跟男人接觸的機會，即使她內心仍然盼望著白馬王子的出現。

後來逐漸浮上檯面的是，辛西亞的男人問題原來是建基於她跟她父親的關係的模板上。他是個英俊、擅長交際的推銷員，在他的孩子當中，他最疼辛西亞，不過由於經常旅行的緣故，他跟她相處的時間並不多。辛西亞的母親在結婚之後不久，便得到了嚴重的慢性關節炎，這對夫妻分床睡覺，對彼此並沒有表示出什麼濃情蜜意。

當辛西亞還小時，她跟她父親的感情好得不得了，當他在家時，他會給她她那生病的母親無法提供的讚賞。她父親也做了一些讓辛西亞覺得不舒服的事情。雖然他從未明顯地對她性虐待，他會把她抱上一段很長的時間，讓她喘不過氣來，在她成熟之後，他對她的身材及性感的誇讚，往往會令她感到困惑。當她享受著他的陪伴時，她開始覺得自己在背叛母親，而且她覺得很羞愧。當她父親離開時，她會覺得是自己的不舒服感把他趕走的。

成人之後，她繼續將他看成一個幾近完美的父親：有愛心、爲人風趣，爲家人的幸福努力工作。然而，透過治療，她發展出一個對父親的更複雜看法：他是個很照顧子女的父親，但他也有心理方面的困擾，曾經在性方面對她做出不恰當的事情。她逐漸看清楚自己低度自尊的根源，每當她的父親離開去做另一個長途生意旅行時，她便會有被拒絕的感覺。跟隨在這個感覺之後的是，她相信，當父親在家時，她所產生的不舒服感是因爲她自己的缺失，而這些缺失使她不值得她父親對她的愛。過去她一直掙扎於潛意識的衝突之中，一方面渴望取悅父親以及接受他的愛，另一方面，當她接受到她父親不願給她母親的性關注時，她又感到很羞愧。

她的成人浪漫關係變成『她想要完成父女關係的快樂結局』的潛意識嘗試。一部分的她覺得，倘若她能夠徹底取悅她的男友，倘若她更能包容一切而較少感到難爲情，那麼他便不會跟她的父親一樣離棄她。當此一策略失敗之後，她便確信自己低度的自尊心。最後她只好藉由逃避所有的親密關係，來預防愛情所帶來的劇痛，但也花了很大的代價。當她透過治療認出，她對她父親的不舒服感並不是她自己的過錯時，她便得以丟棄一些一直壓在她心頭的罪惡感。對自己困擾根源的認知，使她能夠發展出更令人滿意的浪漫關係，擺脫過去毀滅性模式的拉力。

雖然佛洛依德和他的承繼者使得心理學的領域發生劇烈的變革，而且雖然心理分析思維已經刺激出巨大的智識發酵，此一思維對了解及解決大部分社交焦慮問題的重要性，仍然無法確定。心理分析理論的要素似乎與了解某些人所患的某些形式的社交焦慮有關，然而跟比較簡單但較能測試的認知—行爲學派的假設相比，它們大致上似乎比較沒有那麼特定的助益。政治與經濟風潮已經把心理分析理論以及它那費時的治療方法放逐於流行之外。不過，心理分析理論的吸引力仍舊存在於『它比其他理論更有深度的解釋心理過程的非理性面』的嘗試。

我們所檢視的各式各樣的理論，反映出社交心理學的複雜性。有許多東西我們還不清楚。我們可以確定的一點是，社交行爲具有多重的影響力。任何特定的社交經驗同時也是早期互動的結果，其對象包括我們的父母、我們因爲特定社交動作而被強化或處罰的歷史、我們所獲得的磨練社交技巧的機會，以及我們對各類社交場合的想法及感受。所有的這些因素，在我們社交自我的發展中，皆與我們遺傳自祖先的基因發生了互動。

# 文化關連

如果社會讓你活得夠舒服，你就稱它爲自由。

——勞勃・佛洛斯特，一九六五

與演講、跟權威人物交談、交際等有關的焦慮，似乎存在於每一種文化當中。當來自於不同國家的心理衛生專業人士比較有關社交恐懼症的記錄時，他們發現在對困窘的恐懼、該問題開始的典型年齡，以及社交恐懼症患者的男女比例方面，都存有相似之處。全世界皆把顫抖、臉紅，以及流汗，視爲社交焦慮的症狀，如達爾文在十九世紀時所提出的。在他對人類情緒的研究中，達爾文調查了臉紅在他可以找到的所有族群裡所出現的情形，包括錫金的雷布查人、玻里尼西亞人、玻利維亞的艾馬拉印第安人，以及澳洲的原住民。他所下的結論是，大概所有的種族都會臉紅。建基於橫跨文化的共同點以及我們所檢視的個人社交焦慮的相異之處，有人可能會以爲，文化與社交焦慮沒什麼太大關聯。

在另一方面，像『對困窘的恐懼』如此社會性的東西，無法單獨存在於我們稱爲文化的這個社會環境之外。即使臉紅及顫抖的確有明顯的生物基礎，而且即使生活經驗的確會影響我們對社交恐懼的脆弱性，我們其實仍然透過文化的稜鏡來表現這些恐懼。文化的效力在美國這裡的一個簡單的矛盾現象中非常明顯‥雖然女性比男性更容易罹患社交恐懼症，有社交恐懼症的男性卻比較可能尋求治療。

## 性別差距

與大部分其他的焦慮或沮喪病症相似，在美國大衆之中，女性比男性更容易罹患社交恐懼症——事實上大約是男性的兩倍。女性爲何會佔大多數，其原因我們還不敢確定，不過有許多可能的解釋存在著。原因也許與生理（荷爾蒙差異會使得女性更容易遭遇某些問題）、心理（女性可能更有愛心、更關心人際關係，因此也更懼怕失去別人的贊同），以及／或文化（社會要求可能帶給予女性更多的壓力，像是那些必須在母職與工作上取得平衡的職業婦女）有關。

然而有社交恐懼症的男性之所以比女性更可能尋求治療的原因，至少有一部分與文化有關。就一般的焦慮及沮喪問題而言，女性比男性更可能尋求治療。這使得『有較高比例的社交恐懼症男性患者尋求治療』此一現象更是令人驚訝。當男性的一般傾向是逃避看心理醫生的恥辱時，爲何在害羞或演講焦慮上，男性比女性更可能尋求幫助呢？讓我們來看看以下這個案例：

一間規模不小的科技公司的副董事長前來接受治療，抱怨在向高層會議做報告時所遇到的困難。這位副董事長是個溫文、英俊、有效率的經理，擁有想要變成該公司董事長的企圖心。他逐漸擔心他的報告『只是差強人意』，他認爲他應該要能夠以他的技巧來征服董事會。雖然他很厭惡『尋求焦慮專家的協助』這個想法，但他感覺到他的事業已經岌岌可危。在初次造訪時，他承認自己正為一則謠言而驚慌失措，聽說公司的董事會想用空降部隊來塡補董事長這個位置。透過治療，他得以認出，他那『征服』董事會的極端觀念，正製造出不切事實、具毀滅性的自我期許。他很努力地做療法的回家功課，為自己設下目標來表現出更多的合作行為，於是他在減少焦慮及鞏固職場地位這兩方面，都獲得可觀的進步。

現在我們來看看一位有社交焦慮的女士所帶給我們的啓示。安妮特・梵尼契諾是一九五〇年代晚期『米老鼠俱樂部』電視節目的年輕明星之一，她在自傳中憶起，儘管她當時有『青年皇后』的形象，她仍舊在擔心自己很容易害羞這個毛病。當她問她的老闆兼良師華德・迪士尼，她是不是可以去看心理醫生時，他拒絕了。他告訴她，她的個性很有魅力，而其中的一部分就是來自於她的害羞。『看完心理醫生便會改變妳的個性，』他說。『妳為什麼想要改變呢？』結果她從未尋求治療。

即使社會運動正朝兩性平等的方向邁進，男性繼續覺得，別人仍然期望他們展現陽剛的特質，像是有進取心、在群衆面前發言，以及在浪漫關係中採取主動。雖然這些特質可能受到生物學的影響，大部分的文化也是比較崇尙男人擁有這些特質。因此，男性傾向於因為本身這些特質的不足而感到痛苦。儘管男性大致上不願承認感情方面發生了問題，但社交恐懼症男性患者尋求治療的意願，反映出他們因為害羞而受苦的嚴重程度。

另一方面，女性可能發現，如華德・迪士尼，社會在傳統上會接受或甚至獎賞沉默、扮演被動角色的女性。儘管兩性平等已有實質的進展，女性在會議室、舞廳，以及臥室，避免佔住領導地位，仍然讓一般人比較容易接受。由於這些文化態度，被社交恐懼所限制的女性，可能比同樣恐懼的男性感受到較不極端的痛苦。有些女人會在傳統女性角色中尋求庇護，但男性可能比較會覺得，他們找不到躲藏的地方。隨著女性在職場上繼續進入更多的權威職位以及在社交競技場上邁向更大的平等，這些差異點有可能變得越來越少。

## 害羞的日本臉

社交焦慮也會在世界上的某些特定地區以不同的面貌出現。一九二〇年代，日本精神科醫師森田昭眞描述了一種與社交恐懼症類似的徵候群，稱爲taijin kyofusho。Kyofu是『恐懼』的意思，而taijin被翻譯成『個人之間話語與眼神交流的社交接觸』。在一個座談會上，我們討論跨文化之社交恐懼症議題，一位首要日本精神科醫師報告說，在『社交恐懼症』這個詞由美國精神醫學會在一九七九年正式定義及公佈之前，許多日本的精神科醫師以爲，社交恐懼症的症狀只發生在日本人身上。跟社交恐懼症患者相似，患有taijin kyofusho的人擔心他們將會在別人面前臉紅、顫抖，或流汗。其他taijin恐懼則似乎比較容易發生在日本或東亞文化裡。這些包括對散發體味的恐懼、對臉部表情變僵的恐懼，以及對未能避免直視他人的恐懼，擔心因此而冒犯他人或令他人感到不舒服。有時候患者變得相當肯定，他們正在冒犯別人。這些經驗對大部分有社交恐懼症的西方人來說，似乎蠻陌生的。

然而，總是有例外存在於文化的一般規則之外，如以下提到的這個患者所證明的，就在我們完成本章的第一次草稿時，他走入我們其中一人的辦公室裡。德克是個出生在牙買加的工程師，住在美國已有十年之久。從他的外表看來，他在這個環境裡如魚得水。他的事業一帆風順，而他對自己在工程學及辦公室政治這兩方面的技巧深具信心。他衣冠楚楚，以迷人的腔調說著高雅的英語。他快快樂樂地結婚，才剛當上爸爸。

很不幸的，德克也被一種特殊的恐懼所苦，他很肯定這個恐懼將會限制他的事業，而且已經毀掉他的社交生活。他極度擔心，他的汗水會散發出一種如此難聞的味道，以至於會使同事們退避三舍，並且讓朋友在背後嘲笑他。然而，他在一個悶熱的下午坐在那裡描述他的問題，外表冷靜得要命，而且一點狐臭也沒有。德克並不是沒有留意到這個現象的嘲諷意味。他承認，他對困窘的恐懼太過度了，而且往往沒什麼道理，然而他似乎無法控制它們。

雖然德克似乎無法控制恐懼，他倒有一些線索來追溯它們的源頭。小時候，德克學習到如何用學業成績來取悅他那獨裁、專斷的父親，不過他從未獲得自己最想要的情感支持。從小到大，他一直是個局外人。在就讀寄宿學校時，他很容易害羞，經常淪爲同學們嘲弄的對象；在他的家鄉，他是別的小孩喜歡貶抑的富家子弟。不過，他總是有一些好朋友，他的高智商使他在課業方面獲得可觀的報酬。

十幾歲之後，他害怕被排斥的各種恐懼，轉變成專注於對自己體臭的難爲情，而且就這樣存在了好多年。只有在和好友或妻子相處時，他才可能覺得舒服以及免於懼怕自己的體味。事實上，他在參加社交聚會之前，經常要求他太太幫他檢查。如果她確定他沒有狐臭，他才會覺得稍微放心一些。

然而，當他在同事或一般朋友的面前時，他的心裡仍然存在著狐臭恐懼。它們使他在交談中分心，且致使他找藉口避免參加派對。當他跟一些他很在意的人在一起時，這些恐懼便會變得最強——與公司的總裁開會或結交新朋友時。當然，對狐臭的恐懼導致他更加容易出汗，然後汗水又增加了他的恐懼。他的恐懼甚至無法由他拍在身上的刺鼻的刮鬍水所掩飾。在經歷一個令他極度困窘的事件之後，他就會感到沮喪，對自己無法克服這個可笑的問題而懊惱不已。

雖然taijin恐懼並非只有日本才有，『但日本社會中的社交恐懼症普遍以這個面貌出現』這一點卻不令人驚訝。日本文化在有關擔心冒犯別人的行爲方面，有很強的傳統。譬如，在交談中，直盯著對方看，被認爲是極不禮貌的動作。然而，喜歡往下看的傾向，卻往往會被人欣賞，甚至會被認爲是優雅的姿勢。美國人也許會因爲自己無法與人作目光接觸而感到難爲情，但日本人可能比較擔心跟別人作太直接的目光接觸。然而，在這兩種文化當中，社交恐懼症患者皆非常懼怕自己會違反社會的行爲規範。

日本人比西方人更容易以利他主義的方式，來表達他們的社交焦慮抱怨，他們擔心自己的笨拙行爲可能影響到別人。這也反映出他們社會中的一些社交壓力。日本人傾向於重視等級制度、禮儀、對別人的感受的尊重，以及自我的否定。因此日本的社交恐懼往往以『擔心使別人不舒服或困窘』的形式出現。不過跟有社交恐懼症的西方人相似的一點是，這些患者往往會擔心，他們不恰當的行爲可能也會導致自己的屈辱。

## 世界各地的臉

在沙烏地阿拉伯，根據研究報告，社交恐懼症特別的普遍，佔前往心理衛生診所尋求幫助的病患人數的百分之十三（排除那些如精神分裂症等精神錯亂的疾病）。有社交恐懼症的沙烏地人似乎擁有與西方人相似的症狀，在社交場合中會產生心臟狂跳、顫抖，以及流汗等症狀。在沙烏地阿拉伯，男性尋求治療的比例甚至比美國的還高上許多：在一間有三分之二是女性病患的診所裡，有百分之八十的社交恐懼症患者是男性，這個情形符合沙烏地社會中女性所扮演的更爲傳統、私密的角色。庫泰巴・開勒比是提出此份研究報告的沙烏地精神科醫師，他列出了一些爲何社交恐懼症在他的國家如此普遍的理由：

沙烏地文化受到極嚴苛的道德規範以及被高度受到重視的習俗及儀式所拘束。即使稍稍偏離這些規定，都會令人無法接受，不遵守的人很快便會遭到放逐。需要強調的一點是，這些規定可能應用於很小的社交儀式上，像是與別人打招呼的方式，或是如何以問候對方每一個家庭成員的健康，來打開話匣子，先念出男性成員的名子，然後用象徵來代表女性成員……。阿拉伯文化極爲注重外表……。一個在公開場合帶給別人壞印象的人，很可能會一輩子保有這個不良的聲譽，即使該印象後來被證實爲僞……。所有這些因素加起來，可能會使得那些有獨特個性特徵的人，或那些覺得自己與別人很不一樣的人，更容易受到社交恐懼症的襲擊……。

文化對社交焦慮本身的態度也會有所差異。西方人傾向於把害羞指責爲個人的缺點，然而其他文化並沒有如此負面地看待它。在印度及尼伯爾，layja（原意是困窘）是一個被印度教社會所描述的觀念。它包括一些尊重社會等級制度的行爲，像是表現得害羞、謙卑，或充滿敬意；遮住自己的臉；保持沉默；或是在長輩面前低下頭去。Layja有時候還跟臉紅、流汗，以及變動的脈搏有關，它被翻譯成『困窘』、『害羞』，或『謙卑』。

雖然西方人也許會可憐那些有社交焦慮的人，許多南亞人卻將layja看成一個極好的德性，尤其在女人身上。如感恩、忠誠，或尊敬，layja被視爲一個維持社會和諧不可或缺的狀態。被看成充滿layja，會促進自尊而非自卑。在這樣一個社會之中，缺乏layia，可能是導致困窘的一個原因。

在不同的文化中，人們所經歷的困窘也會有所不同，即使是在西方國家之間。英國心理學家勞勃・埃德曼要來自五個歐洲國家（英國、西德、希臘、義大利，以及西班牙）的研究對象，回憶他們在遭遇最近的一個困窘經驗時的感受。報告結果顯示，從英國來的研究對象臉紅的頻率是其他國家的兩倍，而他們在難爲情時所說的話也顯然比平常少很多。義大利人、希臘人和西班牙人比較可能報告說，他們在困窘時會笑出來，不過他們最不可能低下頭或把頭轉開。

## 焦慮動態：移民

鑑於這些有關社交行爲的文化態度差異，並不令人訝異的，移民似乎特別容易經歷到社交焦慮問題。首先，如果他們的外表看起來不同或是講話時帶著腔調，這樣的歧異已經使他們容易受到別人的『另眼相看』。假使他們帶來了不同的社會價值觀或假使他們不熟悉當地的社會習俗，他們也會比較容易犯下社交禮儀方面的過錯，因而吸引別人更多的注意或不認同。此外，溝通風格中的語言障礙及文化差距，也可能致使移民把他人的中性反應誤認為太過嚴苛。

一從醫學院畢業，奧姬便決定逃出自己的祖國匈牙利（當時為共產國家），到美國尋找新機會。在抵達紐約市之後，奧姬立即感到事事都不對勁。她覺得自己身上樸素的東歐衣服，看起來很不搭調（但她又負擔不起新服飾），她沒有朋友，而且她不確定如何做最簡單的社交工作，像是在街角的雜貨店（由韓國僑民所經營）購買牛奶和麵包。在紐約的前幾個月裡，奧姬只有在不得不說話的時候才說話，因為她擔心別人會由於她的匈牙利腔調以及她那生澀的英語，而瞧不起她。隨著時間的進展，奧姬開始覺得自己被從事醫務的同事們所接受。跟隨在奧姬被接受的感覺之後的是，她對一個新的文化亞群的越來越多的認同感，也就是醫生及護士的世界。幾年之內，奧姬在一間頗具規模的醫學中心晉升為一個診療服務單位的主任。

當然，你不一定要來自異國，才會吃到文化差距的虧。莉亞是一個二十歲大的舞蹈及音樂學生，她最近才從家鄉夏威夷來到紐約市。由於她媽媽是夏威夷人，爸爸一半夏威夷一半挪威血統，所以莉亞從小到大都很擅長傳統的夏威夷舞蹈。到了紐約，她很快就發現，當地舞台上的打扮及表演風格，與她原本所預期的相差很多。她的老師們不僅說她太胖而無法加入紐約一個聲譽卓著的舞蹈團，而且似乎對她在夏威夷所學的舞蹈動作不怎麼欣賞。她的自信心開始腐蝕，而且每當她被要求上台表演時，便會經歷到極度的焦慮。莉亞的老師相信她有很大的潛力。即使她對西方風格的舞蹈缺乏經驗，他們還是熱絡地網羅她。對莉亞而言，地方的劇烈改變，再加上她對原本具有建設性的評語的過度敏感，擊潰了她先前對自己身爲舞者的正面觀點。

在新罕布夏州，汽車後頭的牌照上有『不自由，毋寧死』這句話，而且該州的居民非常支持這則箴言的精神。然而，個人風格的稱頌卻掩飾著當一個傳統新英格蘭人的許多壓力，如有個人幾年前在搬到新罕布夏之後所發現的。身爲一個從紐約移入的新居民（當地人稱之爲『平地人』），由於已經精通該市自信滿滿的行事作風，因此在面對賣出劣質商品的店主或是要女服務生送回一份沒有煮熟的薄捲餅時，都沒什問題。然而，請教鄉下的新鄰居如何修理化糞池或使用鏈鋸時，就會變得比較笨拙。如果想要求鄰居控制住他們那狂吠的短腿獵犬或是把他們棄置在路邊的廢車送走，那麼可以被接受的『新罕布夏』方式又是什麼呢？

這個新居民的自信崩盤的原因有兩個：他覺得自己從事某些陌生活動的能力比別人差（像是修理化糞池），以及他不確定他的新社區的鄰居行爲的標準爲何。這個城市佬變成的鄉巴佬，產生了一些他從前未曾有過的想法：『我的鄰居會看出我什麼都不會。這裡的人會以爲我是個孬種。』當他在跟鄰居交談而且內心有這樣的念頭時，焦慮的生理感覺，像是升高的心跳及流汗，便會開始出現。在他強迫自己多多跟鄰居交際，逐漸了解他們之後，他了解到，單單互相的尊重便能有效的彌補小小的文化差距，他的恐懼最後變得減輕許多。

對已經容易害羞或易受社交焦慮襲擊的人而言，搬家可能會引發社交恐懼症。因為搬家而轉學的孩童可能會遭遇到困難，即使他們只是搬到城市的另外一邊。成為街區的新小孩會招來別人的注意，對某些孩童來說，這種感覺就像是一隻鹿被車子的頭燈迎面照到。這個新小孩可能會擔心什麼是『酷』或『不酷』，或是擔心新同學將對他的外表或個性如何反應。

當喬西的媽媽麗蓓嘉決定搬到城市的另外一邊時，她不了解這會把她兒子轉到另一個學區。喬西是個有多重學習及行為問題的小孩，他最近才開始在當地的國小適應下來。他跟兩個同學成為好朋友，並且和他的指導顧問發展出正面的工作關係。每當這對母子一想到要上新學校，便會驚恐起來。在離暑假只剩兩個星期時，麗蓓嘉向學校申請讓孩子繼續留在舊學校——結果被拒絕了。靠著特殊教育人員和新學校的駐校心理學家的幫助，在新學年開始之前，喬西展開了一系列造訪新學校的活動。一開學，喬西被指派了一隊『夥伴』，也就是一群會一直陪在他身邊，教他新學校的日常活動，以及在下課時跟他玩耍的同班同學。這個預先設計的適應計劃，幫助喬西紓解了擔心被排斥的恐懼。

你並不需要搬家才會遇到這類問題。文化因素與社會經濟地位這兩者皆會影響社交焦慮，如對考試焦慮的研究所顯示的。雖然考試時的緊張似乎有可能不是社交焦慮的一種，它卻也具有懼怕被評析這個不可或缺的構件。當這樣的失敗及屈辱恐懼，導致考試前的極端焦慮、逃避考試，或是考試當中『僵住』等各種問題時，它便被視為一種社交恐懼症。

數個研究已經比較了來自不同文化及社會經濟族群的學生之間的社交焦慮程度。根據研究，墨西哥國小學生比北美學生有較嚴重的考試焦慮。最近，一個對智利及美國國小學生所做的研究指出，在這兩個國家裡，低社會經濟地位的學生所遭受的考試焦慮，都比中、上階級的學生更加厲害。美國學生大致上比智利學生經歷較少的焦慮。研究人員所下的結論是，這些差異可能是由數個因素造成的，其中包括應付壓力的方式、對權威人物所持的態度，以及在專門事業的路途上，考試對進展的重要性等這幾方面的差異。這些研究結果與社區調查的發現不謀而合：較低社會經濟地位的群體之中有較高程度的社交恐懼症。

## 現代生活，現代焦慮

即使是在主流的西方（尤其是美國）文化之中，我們懷疑有許多影響皆會增加社交焦慮的感受。越來越方便的交通使得人們旅行的範圍比從前擴大許多，導致人與人之間更爲頻繁的短暫相遇，以及對帶給別人良好的第一印象的更大需要。在此同時，社交遭遇的規則變得更爲流動，使得我們失去了傳統的路標來指引社交行爲。此外，就如『帶給別人良好的印象』變得更重要且更困難，『在我們的社交互動中達成完美無瑕的表現』的這個不切實際的壓力也在增長著。

從前，人們藉由跟鄰居的比較來判斷自己的能力。一個人也許沒有鄰家的女孩那麼漂亮，公開演講沒有市長做得那麼精采，或是覺得沒有附近某個富人那麼成功。然而全球媒體的出現，挾著它那無懈可擊的雜誌、電影、電視等銷售能力，已經以完美主義理想及誇張期望所造成的旋風，橫掃人們的集體意識。一天之中可能有數百次，我們把自己的肚子、臀部、疣，以及過時的服裝，拿來跟現代市場中叫賣商品的超級模特兒比較。我們還可能拿我們結結巴巴的談話，與總是有妙答的電視喜劇演員或從來不說『不』的新聞主播比較。這個現象的問題是，我們之中大部分的人連接近這些明星夢幻般的長相及談話水準，都還談不上，因此自我意識及自卑感很容易增長。

很久以前，大部分的人都住在小社區裡，與別人做直接接觸的機會比現今少很多。他們的社交世界很小，不過他們本身的社交角色倒是很清楚。當一個清楚的社會等級制度存在於一個社區裡時，人們知道他們與其他人的相對地位為何，這樣的穩定性會使人感到舒服。面對你和你家人認識好幾年或好幾代的人們，你並不需要太急於帶給他們好印象。

然而，在今日的已開發社會中，我們與我們的鄰居失去了聯繫。人們換地方居住的次數越來越多。每天我們有可能跟好幾個我們認識不深或根本不認識的人打照面，所以我們覺得比以前更有需要帶給別人良好的第一印象。這些表面的接觸之中，有許多是第一次也是最後一次的印象——我們跟另一人的交流也許就這麼多了。當我們更多的人際關係傾向於如此一縱即逝之時，當深入的訪談被濃縮成短短幾分鐘的電視節目之際，製造良好的第一印象突然變得極為重要。有史以來，我們第一次如此迅速需要讓別人知道我們是誰。擁有穩固的社會習俗來指引我們如何表現自己，可能會使這個工作變得容易些，然而在此同時，社交互動的規則已經變得更善變了。

如果在當今的社會有一件事情不會變，那麼它就是變動。老式的社會傳統，從對女性的獻慇懃到對老闆的尊敬，在平等的名義之下，已經逐漸式微。社會中的保守主義者拒絕此一風潮——有選擇性的——而一些自由主義者公開擁抱這些風潮，但卻在他們自己的人際關係上，採用不同的標準。除非一個人能夠撤退到一個住著志趣相同的人的桃花源裡，切斷電話線及第四台，且干擾無線電頻率，否則時代的大風潮正湧向一個充滿越來越多元化的社交行爲的世界。儘管有『親愛的艾比和禮貌小姐』最佳的努力，我們已經變得越來越不確定我們應該表現出何種款式的社交行爲。

就如別人對我們的社交行爲的期望，變得越來越難預料，我們自己的社交角色的變動也會在新角色與傳統角色之間製造緊張，進而導致社交焦慮。譬如，女性已經逐漸在工作場所獲得領導與權力的地位。然而，在社交領域裡，改變似乎沒有如此戲劇性，在這裡，害羞仍然讓人家聯想到女性的特質，女性一般來說還是期望男性在如約會這樣的活動中採取主動。在事業上頗有成就的現代女性，如何使她自己的社交與工作世界不至於互相衝突？爲了在工作上獲得成功，她可能需要行事果敢、進取，在衆人面前演講或是參加壓力很大的行銷協商。她應不應該在私人生活中表現得嫻靜、溫柔，以及自我犧牲，但又在事業上行事果敢、進取，要求嚴格呢？她能不能同時是二者，假使能，那麼在心理方面會付出何種代價？

男性的衝突比較沒那麼戲劇性，不過也有類似之處。平常被教導在社交方面外向、進取，而且被期望在約會或性活動中採取主動的男生，如何在敏感及對小孩子有愛心這些新期望中找到平衡點呢？同樣的，企業主管如何在一方面行事果決、有必要就炒員工魷魚，卻在另一方面又得體諒、了解下屬的心理及人際問題呢？還有，當他回到家，變成一個六歲兒子的單親爸爸時，又該如何表現呢？

## 不確定感中的自由？

後現代心理學家強調，事實上，我們每一個人同時是許多人。一個溫和的父親也可能是一個強硬的老闆。一個進取的職業婦女也可能是一個盡責的配偶。如瑪麗·貝特森所提出的，『一致』或『確定感』很少會出現在二十世紀的生活裡。假使『眞理』不是只有一個，行爲標準也不是只有一種，那麼許多可能性都可能發生。在『接受生活中的多樣性及紊亂』的這個觀念之中，也許存在著自由與解放。

因此，對社交行爲不確定的後現代規則的這種焦慮，是否也有其光明的一面呢？或許一個有社交焦慮的沙烏地人，在被指引每一寸生活的社交規定壓得喘不過來之際，也許會歡迎一點點的模糊，一點點可以犯下社交錯誤的活動空間。也許我們有社交焦慮的村居祖先，在小學時因爲穿著睡衣上學而被永久貼上恥辱的標籤之後，將很高興有搬到一個城市的機會，在那裡隱姓埋名，重新出發。這些問題的答案可能是『是』也可能是『否』。

倘若社交規則的確變得比較鬆弛，那麼這對有社交焦慮的人而言，是一把雙刃劍。規則的放鬆取走了社交路標，也就是取走了我們用來避免難爲情的社交禮儀規則。在另一方面，對我們『不正確的』社交行爲較大的公衆容忍，可能可以彌補社交路標的失去。然而，我們知道得很清楚的規則，無論多麼嚴苛，感覺起來可能比別人的容忍安全一些，因爲我們很難了解別人容忍的程度。此外，在社交規則已經肯定變得更難預料的同時，我們並不確定，人們社交判斷的容忍是否也有同樣程度的增大。

事實上，當達成被社會接受的規則變得模糊之際，人們似乎會更努力地獲取別人的認同。根據社會學家歐文・戈夫曼的研究，當傳統的地位象徵（姓氏、個人的信譽）不為人知時，人們在擔心未被適當認同之餘，往往會向別人過度傳達他們所屬的團體。這種傳達經常是表面性的；我們可能會以服裝及髮型來表現我們的社會地位、性趣、工作，或甚至政治偏好。讓我們來看看人們如何在派對上自我介紹：『很高興來到這裡，我叫湯姆，是「國際股份有限公司」的律師」或是『你住哪？我住在漢普敦社區』或是『你好嗎？你有沒有看星期天的比賽？』社交地位或所屬團體如此很快就被傳達了。

人們太注重第一印象所造成的結果是，給別人一個不良的浮面印象，可能潛藏著更大的殺傷力。拿方斯做例子，他剛好很容易流汗。方斯住在紐約，在搭乘地下鐵時，即使是冬天，他的額頭還是會冒出許多汗珠來。車上留意到這個情形的乘客們，會懷疑方斯是不是心情很緊張或是他只是容易出汗而已，而方斯自己則擔心，他們是否會以為他出了很嚴重的問題。假使他是住在一個小村子裡，大家都會知道方斯容易流汗，不過他們也會認識他的家人、他的品性，以及他的才能。他們不會把注意力集中在他會流汗這件事情上面，而他自己也不會這麼擔心流汗問題。

然而，現代都市生活所提供的人與人互不認識的好處又如何呢？方斯可以告訴自己，他可能再也不會在地鐵遇到同一批乘客。不像他的村民祖先，他明天可以重新再來。不過這只有在方斯能夠改變時才有效——倘若他最後能夠學會如何製造一個較好的第一印象。如果不能，那麼他的沒沒無聞所能夠達成的，只是讓他在面對新乘客時，一次又一次的產生同樣的自我意識焦慮。在這個由第一印象所主導的社會裡，在他所遇到的人們當中，沒幾個人有機會能夠看透流汗，認識到眞正的方斯。

文化背景似乎會影響到一個人發展社交焦慮問題的機率、困窘被經歷及表現的方式，以及社交焦慮對個人生活的衝擊。與文化主流在某方面相異的人們——種族、服裝、習俗，或語言——可能比較容易發展出社交焦慮問題。一個人所經歷的困窘是因爲懼怕別人還是因爲利他主義的關心別人，以及一個人會以沉默還是緊張的笑聲來表現困窘，也都會隨著各地文化的不同而有所差異。一個人的性別及國籍也會主宰，害羞將會造成極大的恥辱及痛苦，還是會被視爲品德及驕傲的徽章。

文化在社交焦慮中所扮演的角色，並不只是一部充滿異域珍奇的記錄影片而已。現代西方社會的社交規則逐漸模糊不清，注重外表，人與人之間互不認識，再加上人們揹負著越來越多的壓力想要實現理想中高不可攀的社交魅力及表現。這些風潮帶來無法勝任、困窘、社交疏離，以及冷漠的感受。我們有可能只是變得越來越意識到一些長久以來就存在的人類弱點，然而一個更不祥的可能性是，社交恐懼症將會變成二十一世紀一個日趨嚴重的大衆健康問題。無論如何，進一步了解文化對個人所造成的壓力，也許可以幫助我們迎接這些挑戰。

# 3

# 恐懼的其他幾張臉

# 瑪丹娜也會登台怯場？

我有四分鐘的時間讓自己儘量完美，而且有三十億人在電視上看著我。

——瑪丹娜，在奧斯卡頒獎典禮表演時，解釋她的雙手為何發抖。

如果要徹底了解社交焦慮，就得考慮到那些好像最不會受制於社交焦慮的人——職業表演者。這些人選擇在社交焦慮最容易發作的一個地方謀生，也就是舞台上，他們似乎對它的驚險甘之如飴。

非表演者只要一想到必須面對一大票的觀衆，便會覺得手脚發軟。這並不令人驚訝，因爲我們當初被『製造』出來的身心，只適合一對一或小群體的遭遇，這在進化史上，構成了社交表現和關係的絕大多數案例。當一隻動物吸引一個大群體的專注時，通常也是牠被一大群掠食動物當成虎視眈眈的午餐時。

人類觀衆也有一個長期的傳統，以表演者爲掠食的目標。另外還有什麼地方，觀看者可以公開發出噓聲或甚至把表演者轟下台去？並不是在一個商務報告上……或第一次約會。而當舞台換成是運動場時，入場費所換得的代價便包括任意斥罵場上的運動員。對觀衆來說，他們安全地躲在群衆之間，這分散了他們不仁慈行爲的責任。然而就暴露在大衆面前的運動員而言，應該會感覺到極大的風險。

## 表演者如何辦到

那麼表演者如何辦到的？懼怕聚光燈的人們可能會以爲，表演者屬於另一個不會焦慮的物種，不過眞相並非如此。事實上，公開表演之前所產生的噁心或侷促不安，幾乎每一個人都會經歷到。專業的表演者藉由對敬酒時的海洛同樣有效的技巧，來對付他們的恐懼。

其中一個技巧是，表演者經常利用自己緊張的能量來加強他們的表演品質。資深演員卡羅爾·奧康納曾經說過，『一個專業演員會經歷到一種緊張……。業餘演員會被它擊垮，但專業演員則需要它。』搖滾樂團『弗利特伍德麥克』前主唱史帝夫·尼克斯也對恐懼與興奮的結合有所評語：『如果我在上台前沒有眞正感到緊張，那我眞的會很擔心。』對大部分的專業表演者來說，緊張的能量會被導向手上的工作，一旦他們開始表演之後，焦慮就會平息下來。

表演藝術心理學家格倫·威爾遜指出，造成舞台上的成功或失敗的原因，並不只是焦慮的經驗，焦慮的時機也有很大的關聯。雖然幾乎所有的表演者在表演之前，會經歷到越來越大的憂心，更成功的表演者卻是在表演之前一個小時，到達他們的焦慮尖峰，而非在表演的過程之中。這跟對跳傘員的研究結果相符，有經驗的跳傘員在跳下去之前比較緊張，而新手則是在跳下之後感到最害怕。無論是跳傘員或演員，較早緊張的人最後可以把注意力集中在表演本身，甚至還能享受其樂趣。那些在後來焦慮才到達最高峰的人，表現當然就比較失色，尤其是倘若他們在焦慮尖峰忘了自己的台詞（或更糟的是，忘記拉開降落傘的繩索）。

表演者也會藉由專注於手上的工作來對付焦慮，這個動作傾向於把他們的注意力引離恐懼。由於扮演角色或演奏音樂往往需要徹底的專心，觀衆以及表演者外在的恐懼，自然被表演者拋到腦後。隨著表演時間的進展，該場合失去了新鮮感，表演者最糟的恐懼還沒產生，焦慮便已經減弱了。以心理學的術語來說，『習慣成習』（habituation）於是產生。

發生在一場表演中的同一種『成習』，也會發生在一個人一生的表演事業中。由於重複暴露於同一種引起恐懼的場合中，表演者會感到恐懼逐漸減輕。有些表演者會在他們專業生活的早期爲焦慮所苦，此時他們可能遭遇到最多的拒絕，但當他們有了地位與成功之後，便會建立起自信。

## 當登台怯場找上明星

一個比較不尋常但引人注意的例外是，當這種緊張沒有隨著時間及經驗淡去，而爆發成持久的登台怯場時。會焦慮的演說家對它的典型症狀並不陌生：噁心感、心悸、出汗、顫抖，以及迷惑。

羽翼已豐的登台怯場，乃是一個表演者最慘的夢魘。有二十七年的時間，芭芭拉·史翠珊的登台怯場問題，致使她無法在公開場合演唱。儘管她有數百萬的歌迷，而且又是流行樂壇家喻戶曉的傳奇人物，但史翠珊卻逐漸沉迷於這個想法：如果她想要再上舞台，那麼她可能會犯下令自己下不了台的錯誤。

點燃她的恐懼的悲慘時刻，發生在一九六七年紐約市中央公園的一場免費音樂會上。史翠珊忘掉了幾首歌的歌詞，而且觀眾可以看出她正在顫抖。此後她將自己的事業轉向比較能夠讓人掌控的電影媒體，因為在她把影片呈現給大眾之前，她的形象可以重拍、剪接，以及在工作室修改。二十七年之後，在她於賭城復出表演的前夕，她對一個記者解釋她登台怯場的根源：『我在十二萬五千人的觀眾面前忘掉歌詞，我並沒有表現出難為情的模樣……我非常的震驚；我害怕極了。它使我這些年來無法上台表演。』

公開承認他們受制於登台怯場的表演者名單，讀起來活像是一間『名人紀念堂』。搖滾樂團『感恩死者』的前團長杰里・葛夏，事業從頭到尾都在跟登台怯場奮戰。由於他的社交焦慮，葛夏在台上極少在歌與歌之間對觀眾說話，即使他的歌迷以近乎瘋狂的愛與忠誠澆淋他。受人尊重的英國女演員格蘭妲・傑克森曾經公開揭露，在上台表演之前的幾分鐘裡，她會有嚴重的心悸，且擔心自己沒有能力表演。讚美與獎賞一點都無法減輕她的恐懼：『我猜是因為，你做得越多，你就越了解到把事情搞糟是多麼的容易，而把事情做好又是多麼的困難。』連稱霸舞壇多年的男芭蕾舞蹈家巴利尼可夫，在表演前也會極度的不安。『我總是會緊張到反胃，』他在他的事業如日中天時如此表白。世界知名大提琴家卡薩爾斯承認，他從開始上台表演以來，便一直為登台怯場所苦，他甚至在一場重要的音樂會上，由於焦慮所引發的流汗，而把提琴弓掉在地上。

戲劇奇才勞倫斯・奧利維亞在自傳中敘述他在事業的巔峰期，曾經長期被登台怯場所困擾。當時他正在倫敦的『國家劇院』表演，問題起源於一個『駭人的想法』——他也許會因爲太過疲憊而記不起自己的台詞。

我的勇氣消沉，每過一分鐘，我就變得更無法抵抗這個恐懼。輪到我出場時，我走向舞台，內心非常肯定，我無法在台上支撐超過幾分鐘的時間……。我的聲音越來越小，腦袋一片空白，觀衆席開始旋轉起來……。由於牙齒咬得緊緊的，我於是以小得很不尋常的音量，走完整齣戲……。奧利維亞憶起他所稱呼的『疾病』如何繼續折磨他整整五年的時間。在一場《奧塞羅》的演出當中，他怕自己沒有辦法獨自一人留在台上，他提到『每個跟我同場的人必須知道發生了什麼事，這樣子問題出來時，他們才會有心理準備。』

另一種明星會被表現焦慮困擾的場所是運動競賽場上。前紐約梅茲隊捕手米奇・賽瑟忍受了一個令他受辱的球季，在這段期間裡，他發展出自我意識的恐懼，擔心自己每次接到投手的球之後,便會把棒球誤投回投球區。球迷們會對他發展出來的緊張習慣又吼又叫：在將球投出之前，投球那一隻手會做出準備動作，一次，兩次，有時甚至三次。匹茲堡海盜隊棒球英雄史帝夫・布萊斯也遇到類似的問題，結果逼得他的事業不得不提早結束。一九七一年成爲世界職棒錦標賽英雄以及一九七二年成爲夢幻球隊的成員，在完成破紀錄的球季之後，布萊斯在一九七三年發展出一種劇烈的恐懼，投球時怕被別人在一旁觀看。雖然旁邊沒人時，他在練習當中可以投出完美的三好球，布萊斯在一個現場比賽中卻無法把球投靠近本壘板。由於這個問題，他在一九七四年只好從棒球界退休，年齡三十二歲。

## 爲何老手還會如此脆弱？

經驗豐富的表演者竟然也會被普遍困擾新手的賽前不安所顚覆，這似乎有些令人驚訝。爲什麼事業如日中天的表演者仍然會受制於殺傷力極強的表現焦慮？這可能牽扯到數個因素。首先最明顯的一個是：當一位表演者被一群觀衆觀察時，困窘及屈辱的風險總是存在著。這個失敗的可能性乃是致使現場表演如此吸引旁觀者的主要原因。世界上所有的經驗都無法消除發生錯誤的可能性。

事實上，對成就很高的表演者而言，他們所感覺到的風險可能大上許多。很多明星表演者之所以成功，就是因爲他們是如此的渴望獲得觀衆正面的迴響。即使依賴外物的危險是如此的變幻莫測，表演者有可能變得極重視大衆的意見。精湛的表演者自己想要成功的巨大壓力，現在又被崇拜者、經紀人，以及製作人的壓力乘上數倍。而製造出風光明星地位的媒體，總是隨時準備好要摧毀它所製造的東西。龐大的期望被明星的成功引發出來，這些期望不能被辜負——否則會很慘。

一個有創意的表演，其本質可能會增大對一些情緒的脆弱性，其中包括登台怯場。爲了在藝術或運動中達到能力的巔峰，表演者往往需要跟著他們的情緒走，讓情緒激發他們的靈感。腎上腺素在血液中流動著，不過假使創造力是百分之十的靈感加上百分之九十的汗水，那麼後者的絕大部分經常是焦慮所冒出的冷汗。餵食一場成功表演的創意能量，也可能引發表演者極大的驚恐。

## 登台怯場的解決之道

許多舞台表演者爲了要控制登台怯場，都訴諸於醫藥的治療。爲了此一目的而被廣泛使用的處方藥是腎上腺素的貝塔阻斷劑，它們能夠阻斷腎上腺素的效力，藉此而減輕使表演者分心的症狀，像是狂跳的心臟、顫抖的雙手，以及濕黏的冷手掌。我們會再另外討論貝塔阻斷藥物以及它們被表演者普遍使用的爭議性。

許多成功的表演者最後找出他們自己的方法，來對付登台怯場的發作。在她的一九九四年復出巡迴中，史翠珊在每一場表演上都控制得很好，她使用電子提詞機來顯示每一首歌的歌詞以及歌與歌之間的玩笑話。每一個細節皆經過縝密的規劃。然而，與許多非理性表演恐懼的受害者一樣，超級完善的準備只能減少史翠珊在每場表演之前的一部分憂慮：『我上台前，都會緊張到反胃，』她對記者表白。不過她還是上台去了，完成歷史上最成功的音樂巡迴演出之一。

那麼，她爲什麼能夠從一個充滿恐懼的逃避者轉變成重生的表演明星呢？史翠珊下決心施行一個循序漸進的計劃來面對自己的恐懼，也就是登台怯場，該計劃使她開始累積正面的經驗。她先是在賭城做一些『熱身』演出，接著進行全國巡迴，高潮則是在數量龐大的電視觀衆面前，做出非常成功的表演。逐漸積聚的的正面迴響，促成史翠珊的思考模式的徹底改變：『我們所談的是，我會從賭城走出多遠，當時我必須服用Lomotil（一種止瀉藥），然後減肥跟睡覺。我相信我一定會使大家失望，我相信我還不夠好。後來在我的成長過程中，我很快了解到，其實我很好。我不知道我爲什麼很好，不過我知道我很好。現在既然有更多這樣的感覺，我的一些不完美之處就沒有關係了。不管我是誰，我好得夠資格站在那邊。』

史翠珊在台上時，也許就是這些話在幫她默默地對付她的恐懼（『我知道我很好』）。她似乎能夠把注意力從犯錯的可能性（這個可能性一直存在著）以及對觀衆產生極端負面反應的擔心，轉移到她對自己擁有的基本能力的信心。這個新的『自言自語』可能已經替代了她過去的『我會搞錯歌詞，丟臉丟大了』這個想法，就是該想法致使她逃避了長達二十七年的舞台。然後，重新恢復的自信逐漸取代她的恐懼。

當然，你不需要當一個在客滿的麥迪遜廣場花園表演的超級巨星，才有機會嚐到登台怯場的滋味。比較不重要的小型表演也可能製造出同樣程度的恐懼反應。在教堂唱詩歌、講個笑話給幾位朋友聽，或甚至只是對一群陌生人介紹你自己，皆會引發同一種驚恐。

## 擔心害怕的吉他手

雖然多數的表演者在不了解它的確實根源的情況下，安然渡過了登台怯場，然而在一些案例裡，登台怯場的基石似乎在生命的早期便已埋下。山姆爬到高中網球隊的頂尖位置、在一個爵士樂隊裡擔任獨奏任務，而且獲選爲學生會的會長。然而，山姆的父母並沒有因爲兒子的課外活動成就而感到高興。爲了鼓勵他追求醫師這種較有保障的職業，他們只有在他獲得好成績或是談到成爲醫生的可能性時，才會讚美山姆，而且他們會故意看輕他的音樂才能。山姆繼續追求他的音樂，不過爲了迎合父母的期望，他在大學主修自然科學，然後進入一所有名的醫學院。

就是在就讀醫學院時，山姆特殊的社交恐懼才開始滋長。雖然山姆繼續參加爵士樂隊的演出，由於課業繁重，他覺得自己在音樂方面所做的努力，彷彿已經變成一件令他困窘的事情。儘管從前他上台前頂多只會感到一點點的不安，他變得越來越擔心，他會在台上驚慌起來，使自己丟臉。

對其他樂隊的成員來說，山姆的恐懼似乎很荒謬。他的音樂能力仍然很傑出——而且因爲他是個醫學院學生，所以應該更令人敬佩。但山姆可不這麼想。雖然他的許多同學已經完全捨棄課外活動，對山姆而言，其實是音樂上的優異表現才使他對自己感到滿意，並且讓教室裡的活背死記還能夠令人忍受。爲了醫學而犧牲他優秀的音樂才能，無異是要扼殺他的靈魂。

對登台怯場的恐懼會在一個表演的前幾天裡，把山姆搞得一團糟。他無法專注於自己的課業，而且緊張甚至開始干擾他的臨床工作，看病時，他沒辦法專心聆聽病患在講什麼或是在量血壓時全神貫注。進入醫學院的第三年，山姆對自己無能克服恐懼而感到很沮喪，於是他乾脆完全放棄音樂來逃避問題。

一直到幾年後他完成眼科的高級住院醫師訓練時，山姆才開始想要了解自己的問題所在。他向我們其中一位揭露他被登台怯場打敗的片段經過，當時他剛好在他服務的醫院裡跟我結交成朋友。在醫院的自助餐廳裡，我在午餐以及喝咖啡的休息時間，向山姆指出他對舞台表演的想法的矛盾之處：『你一方面告訴我，你是個很有才能的音樂家，但你卻又經常告訴你自己，你是個很菜的音樂家。到底哪一個才是眞的？你究竟是好還是菜？』山姆開始承認，他已經被他的完美主義害得很慘。我也提到了這個完美主義的根源之一，他聽了之後吃了一驚：他想要在音樂方面表現得很傑出，以此來證明他父母當初的批評是錯的。

有了一些鼓勵之後，山姆開始再度參加演出，不過他設下一條但書，就是說，他會切合實際地向自己提到自己的能力（『我好得足以享受表演的樂趣，並且帶給別人快樂』），尤其是在表演之前或表演之前的幾天裡。山姆於是開始在『低壓』的場合彈奏吉他，像是朋友的家或是當地的咖啡屋。偶爾他會在喝咖啡時抱怨說，他不確定自己的吉他是不是眞的彈得很出色，也許他只是在欺騙自己罷了。我可不吃他這一套：『這種老掉牙的故事並不怎麼有趣。如果你要的只是批評，你就去跟你爸媽談你的音樂。要不然就告訴我，還有告訴你自己，你喜歡音樂的哪些方面……。』山姆笑著說，假使他眞的想要分析自己，那麼他早就專攻精神病學了，而不是眼科醫學。

## 登台怯場的反向現象

大部分有社交恐懼的人最害怕的一件事就是上台。這使得將舞台當成逃離社交恐懼症的庇護所的這位表演者，更顯得與衆不同了。瑞琪兒二十三歲，是住在紐約的一個演員，她完全沒有登台怯場的問題：『我會一邊排在試演隊伍裡，一邊啃著滴著涼拌高麗菜的五香燻牛肉三明治，而其他人不是緊張地踱著步，便是在吸吮Pepto-Bismol。』對瑞琪兒來說，社交焦慮會在戲院以外的地方吞噬她——像是在派對上或是在演員協會跟權威人物打交道，當她在詢問有關醫療福利時，心情就變得很緊張。

在台上表演使瑞琪兒高興地逃離日常生活中的社交恐懼。如她所看到的，表演允許她透過扮演跟她眞實的自我相當不同的角色，變成一個有信心的人。她的戲劇角色讓她暫時不用對自己的行爲負責。她可以演得很無禮而不會得罪任何一個『眞實的』人物。如果角色需要，她還可以說一些『不得體的話』而不會使她眞正的自我感到難爲情。瑞琪兒知道自己很會表演，不過她懷疑人們會欣賞她眞實的個性。

瑞琪兒也採用了演員的角色來幫自己對付眞實生活中的社交恐懼。假扮一個很有自信的外向人物，似乎能夠幫她在派對上起個頭或是與權威人物打交道。她發現這個方法可以暫時解放自己，不過她也擔心這終非長久之計。倘若她一輩子都這樣演戲，那麼眞正的她到底是誰呢？

在治療中，瑞琪兒領悟到，將自己藏在一個假扮的表面形象裡，乃是一個迴避恐懼的方式，這最終幾乎等於她是在迴避派對或權威人物。身爲一個迴避者，她錯過了反駁自己最嚴重的恐懼的機會。所以當人們稱讚她是派對上靈魂人物時，瑞琪兒便會把自己的成功歸之於『只是在裝而已』，而且她會繼續相信，眞實生活中的自己非常無趣。

她開始嘗試將自己『眞實的』自我搬上檯面，她會說一些有關她自己的確實故事以及試著不要如此嚴苛地看待自己的感受。當她留意到，別人大致上似乎都正面地回應她的誠實時，她的自信也隨之增長不少。她後來發覺，自己從前所扮演的外向角色，並不只是她的想像力所虛構出來的東西。其實它也是她過去不願接受的自己眞實的一部分。在她冒更多的危險揭露自己之後，她的恐懼減輕了，瑞琪兒變得更容易當眞正的自己，而且她的自我也自然變得更加外向。

# 性的焦慮與害羞

人的思想行爲無法主宰自我的器官，反而遭到自己器官的出賣。

——愛德蒙和朱爾斯・德甘庫爾，一八六一

臉紅乃美德之色。

——戴奧眞尼斯，西元前第四世紀

對有社交焦慮的人而言，發展性關係可能會遇到不少問題。容易害羞的人們常常在與別人見面或主動約會時，會有困難，而且社交焦慮可能干擾到有助於發展親密關係的情感的自由表達。由於社交焦慮患者比較不常約會，他們往往缺乏經驗，這一點又進一步增加他們的焦慮。在性活動方面，心理學家菲力普・林巴多在調查了一九七〇年代的大學生之後，報告說，有百分之三十七的害羞學生曾經有過性交，而不害羞的學生裡則有百分之六十二。其他研究發現，社交焦慮患者往往爲性慾的缺乏所苦，雖然他們把性看成對他們的幸福極端重要。即使當社交焦慮患者眞的有牽扯在性關係當中時，他們傾向於發現自己較無法獲得滿足。

## 陶德的故事

社交焦慮患者對性的無法獲得滿足的一個普遍原因是『表現焦慮』。三十五歲時，陶德覺得他最後終於遇到生命中的白雪公主。麗娜非常的迷人、聰明，跟她在一起很有意思，從他們第一次約會以來，她就很明白地表示出，她也對他很感興趣。一個禮拜見幾次面，在與對方約會兩個月之後，他們相處得非常愉快，而且也有了體膚之親：牽手、擁抱、親嘴、愛撫，以及互相按摩。這個戀愛關係唯一一件會嚇壞陶德的事情，也是他最最渴望的：與麗娜做愛。

陶德擔心自己可能無法勃起。他在跟其他一些女人在一起時，曾經遇過這個問題。似乎是他越在乎的女人，這個問題就越容易發生，而且最後他都會感到極端的無助。當他認為每一個細節越是必須做對時，他的陰莖便越可能拒絕合作，以此來嘲諷著他的慾望。先前有兩次他因此而寧願結束原本看好的戀愛關係，而不想繼續面對持久的屈辱。這一次，陶德決定尋求專業協助。

後來我們發現，雖然陶德大致上不容易害羞，但他曾經在自己覺得被別人評析的場合中，經歷到同一模式的焦慮問題。在高中的軍樂隊裡，他拒絕吹奏長號的獨奏部分，因為他擔心嗆到會使自己很糗。國小六年級時，他說錯了一句台詞，自此便遠離戲劇表演。遠在一年級時，他就不喜歡在課堂上舉手發言，不過他後來克服了這個問題。這些困難大部分都一直存在於陶德的生活邊緣，幾乎未曾造成任何嚴重的干擾。不過現在事情改觀了。

在決定表現焦慮是陶德的困擾的原因之前，我們有必要先排除生理方面的因素，因爲這些因素在許多性無能的案例裡，都扮演著重要的角色。在陶德的案例當中，基於以下幾個理由，生理因素似乎不可能存在：除了他過去有其他表現恐懼之外，他的勃起能力會隨著他對女人的感覺而有所不同。另外女人不在時，他的陰莖往往在醒來時呈現正常的自發性勃起，手淫時，他也能夠正常的豎起。他年輕，其他方面都很健康，而且他沒有服用任何會導致性問題的藥物。

## 性表現焦慮的治療

一九七〇年代，性研究者馬斯特和強生，把『表現焦慮』歸之於男性的勃起問題與女性的高潮困難的一個原因。他們提到，在許多這樣的案例裡，擔心無法取悅伴侶的想法，會降低性方面的表現。當表現焦慮似乎是問題的關鍵時，它便會對直接的行爲療法有非常快速的反應。這些技巧包括教導患者和他們的性伴侶減低表現的壓力。在此同時，患者學習專注於體驗自己的樂趣，而非一心想要取悅性伴侶。

到了最近，這兩位性研究者『認爲「表現焦慮」導致陽痿』的早期論點，已經被顯示『中等程度的焦慮似乎往往能夠加強男人與女人的性興奮』的科學研究所挑戰。心理學家大衛·巴羅得以用一系列於一九八〇年代所做的研究來解決這兩個論點的衝突之處。這些研究發現，有性表現問題的男人在幾個重要層面都與其他男人不同，其中包括他們對焦慮的反應。

首先，無法維持勃起的男人傾向於低估他們勃起的力量。這一點是在一個實驗室所進行的，實驗對象觀賞一部色情電影，在此同時，他們勃起的程度由機械裝置所測量。被實驗者無法看到他們自己。有問題的男人比較可能在一個很強的勃起時，感覺到自己的勃起是微弱的。對自己生理上的性興奮的同一種低估，似乎也發生在有性功能問題的女人身上。

在另一個研究裡，研究人員一邊讓男人觀看色情電影，一邊對著他們的耳朵朗誦小說中的一段非色情文字。這樣的『注意力分散』傾向於減低健康男人的性興奮，不過對有問題的男人則沒有影響。這兩組男人對性伴侶的行爲的反應，也有所不同。一部描述一個比較亢奮的性伴侶的影片，往往會提高健康男人的興奮程度，不過它會使有問題的男人變得較不興奮，且增大他們的焦慮。最後，當男人們被告知，他們在觀賞色情電影時，可能會受到一記溫和的電擊之後，有問題的男人會變得較不興奮，而健康的男人實際上變得更爲興奮。

巴羅的發現支持以下這個想法：擔心使性伴侶失望，會致使有性表現焦慮的男人表現得更糟糕。對他們的眞實勃起品質的低估，可能會增大他們的焦慮，溫和的焦慮並不會使他們如正常男人般變得更興奮，而且對無法滿足他們的性伴侶的期望的恐懼，最後變成了一則自動實現的預言。糟糕的經驗造成迴避、增大的恐懼，以及更糟的表現此一傳統惡性循環。倘若這些男人能夠將他們的心智從他們的恐懼移開，像是藉由注意力的分散，他們的表現便能有所改善。

## 陶德的治療

對陶德的性表現壓力的治療，是由這個最近的研究的一些原則所指引的。其中一個目標是要陶德降低他的表現壓力。在我們會面了數次，討論了他達成此一目標的某些方法的利弊得失之後，陶德認為反正當時的情況也沒有多少惡化的空間，於是決定把自己的問題告訴女友麗娜，也許她已經感覺到事情有些不對勁了。最後陶德發現，原來她早就在納悶他是不是有一些更為嚴重的性問題，她很高興的獲知，他對她夠在乎，才會把問題揭露給她知道。麗娜提議嘗試幫他克服這個問題，於是從一個潛藏的敵人變成了重要的支柱。

為了進一步減輕他的表現壓力，陶德和麗娜約好在幾個禮拜內不性交。她告知他如何做一些他可以做的事情來讓她在性方面感到舒服，而且他計劃，當她撫觸他時，他要把注意力集中在自己所經歷到的快感上，而不是擔心是否能夠有所表現。陶德被指示接受以下這個事實：他可能會有是不是能夠勃起的恐懼，他應該讓這些恐懼自然地過去，把注意力轉回他正在經歷的愉快感受上，而非專注於恐懼或對抗恐懼。

幾星期之後，這對戀人逐漸感覺到他們的相處變得比以前愉快。不過再過沒多久，他們報告說，他們已經無法繼續按照計劃進行。他們愛得太過火，以至於忍不住而有了性交。好幾次。沒有困難或嚴重的焦慮。就是這些失敗使得治療變得非常值得。

在我們恭喜自己在治療方面有所進展之前，我們最好承認，這個世界的新鮮事並不多。一七八六年，在性無能還是被人們誤以為是由於童年手淫過度所引起的當時，約翰・韓特敍述了一樁行爲療法的案例，他是倫敦聖喬治醫院以及國王喬治三世的外科醫師：

有位先生告訴我，他失去了他的能力……在經過一個多小時的調查之後，我發現了以下的事實：他有時候在不需要勃起時會有強力的勃起，這意味著他的能力尚未失去……不過仍然有問題存在，我猜是來自於他的心智。我問他，是否所有的女人對他來說都一樣，他的回答爲否；有些女人他可以順利的性交，一點困難也沒有……好像只有一個女人會造成他的無能，而原因是由於在這個女人的面前，他產生想要表現得很好的慾望；這個慾望在心理上引發了疑問，或是對失敗的恐懼，進而導致了他的無能……我跟他說這個情況可以治療……他可以跟這個女人睡覺，不過得先答應自己，六個晚上不能跟她性交……兩星期後他告訴我，這個決定徹底改變了他的心態，他的能力很快就恢復了，因爲當他上床時，他所擔心的不再是無能，而是害怕自己會懷著太多的慾望、太多的能力……而且當他一旦破除符咒之後，他的心智和能力便結合起來，他的心智自此未再返回先前的狀態。

## 性爲何容易引發焦慮

對容易擔心被別人評析的社交恐懼症患者而言，性往往是他們的問題焦點。回顧進化史，我們在大部分的群居動物身上看到，社交恐懼與低社會地位，傾向於減少個體交配的機會。不過我們尚未聽過一隻有表現焦慮問題的綿羊或猴子。要將心理學及自我意識注入性行爲本身，需要更大、更性感的人腦。

性之所以會刺激焦慮，是因爲它對人們是如此的重要。這一點在我們的社會中非常的明顯，例如性吸引力被用來促銷每樣東西，從牙膏到電動工具都有。由於性乃是所有表達形式裡面最親密的，在這個生活領域裡所發生的失敗或拒絕，無法被等閒視之。『觀衆』雖然通常只有一人，但這個人的意見往往攜帶著極大的重量。大部分的人在青春期或成年初期，經歷他們第一次的性經驗，而這個年紀的人最容易受到社交焦慮的攻擊。

除了性的重要性之外，它的新鮮感也經常會刺激焦慮。與一個新伴侶做愛，對大多數的人而言，跟平常的事情比起來（像是與一個新朋友交談），乃是較不尋常的經驗。還有，性行爲也打破各種在其他場合中會是禁忌的事情：裸露一個人的身體、生殖器被另一人撫摸、經歷一些從前大人跟你說是很丟臉的快感。在某些案例當中，對性的焦慮可能揹負著佛洛依德學派的包伏，像是因爲懷有被禁止的性及侵略慾望，而被以閹割當作懲罰的潛意識恐懼。

跟其他社交焦慮相同，過度要求完美的期望會助長有關性的焦慮。對不少人來說，由於『性』的討論不是很困難，就是被禁止，因此性特別可能成爲不切實際的心態的對象。當它被討論時，資訊往往經過扭曲，像是當青少年在對同輩渲染他們的性經驗時，或是在好萊塢的電影裡。後者最常描述到一對擁有完美胴體的男女，在經過幾個做愛的鏡頭之後，就同步達到性高潮。男人『學習到』，他們應該有求必應，而且不管重複幾次都可以；女人『學習到』，她們應該總是在性交時達到高潮，無論前戲是不是只有一個熱情的擁吻。

男人尤其比女人容易因爲性表現的問題而感到羞愧，這是因爲無法維持勃起此一現象，不可能被隱藏或忽視。不過這些男人的伴侶也同樣受罪，她們會納悶，是不是她們自己也要負一些責任、她們是不是還不夠吸引人，或她們的男伴是不是對她們不感興趣。對困窘的恐懼可能與其他不相干的擾人感受攪在一塊，像是對伴侶的混合看法、對避孕方式是否有效的擔心，或是對性病預防措施的顧慮。

## 性的害羞

女人可能比男人更容易對她們的性活動感到羞恥，而且更容易在表現性慾或暴露身體時，覺得難爲情。這樣的性羞怯有可能肇因於以下三方面的結合：生物影響，可能把女人帶離會導致不想要的懷孕的場合；心理影響，像是女人大致上較強的自我意識；以及文化影響。後者包括大多數主流宗教的傳統信仰，這些信仰限制女人性慾的表現，且促成對性慾產生羞恥感。另一個文化因素是社會極端強調女性美的標準，這一點很明顯的表現在廣告、服裝、化粧品，以及瘦身等行業當中。多數女性的無法達到這些標準，造成女性對自己身體產生羞怯與困窘的感受。

在西方社會中，對人體及性慾的羞恥根源，可以回溯到『創世紀』和伊甸園。在違背上帝的禁令，吃了分辨善惡樹的果子之後，亞當和夏娃第一次對自己的赤身露體感到難爲情，於是躲開了上帝。他們違背上帝的羞恥感立即與他們對裸體的羞恥感聯繫在一塊。

就如同長久以來，女人一再被教導對自己的身體感到羞恥及困窘，她們也經常被告知，表現這樣的困窘或性羞怯是一件好事，意味著女性的美德。在二十世紀之前，臉紅一直被人們認爲是造物者的精心設計，象徵當事人正在違背神聖的法規。因此，一個對裸露或性慾沒有表現出臉紅及困窘的女人，別人會認爲這是因爲她品德低劣。諷刺的是，有一些把臉紅高呼爲女性美德的男性作家，也發現臉紅具有無可抵擋的魅力。一七七四年，約翰・格列高里博士非常大膽的主張，大自然已經『逼迫』男人愛上臉紅的年輕女子。儘管最近數十年來的兩性革命風起雲湧，這些根深柢固的性信仰仍然徘徊不去。

# 4

# 社交焦慮實用手冊

# 社交焦慮的測試

這些測試，在不同人身上會以不同的形式出現。

——富蘭克林・史克尼爾

一般人有一些社交焦慮相當正常，但有太多的話將會干擾到日常功能運作，而且還可能意味著得了社交恐懼症，你如何知道你站在哪裡？一些簡單的測驗可以幫忙決定，你自己的社交焦慮是不是你應該要對付的一個問題。在本章裡，我們提供了數份問卷調查，來評估不同層面的社交焦慮。不少研究者發現，這些問卷調查有助於測量社交焦慮及其影響。

## 在你做測驗之前

做社交焦慮的自我測驗，可能會有以下幾個幫助：測驗可以顯示你在社交焦慮方面，與一般社會大衆以及與社交恐懼症患者的比較。發現你的分數落在一般範圍裡，可能會令你安心。要不然，發覺你的分數跟社交恐懼症患者差不多，則可能使你警覺到一個潛藏的問題。

測驗也可能幫忙認出在日常生活中，有時候很難注意到的特殊問題領域。對某些人而言，迴避特定的社交場合，像是演說或是對權威人物說話，變得如此的平常，以至於他們甚至不了解，迴避正在限制他們的生活。另外一些人只感覺到一般性的麻煩，但無法定出該問題的特定領域。然而，回答一些相關的問題，可能會提供一個新角度，而且認出社交焦慮問題，乃是征服它的第一步。

並不令人驚訝的，有社交焦慮的人特別想知道，他們與別人的比較情形。畢竟，社交恐懼症的一個關鍵特點是，過度懼怕自己無法符合別人的標準。由於我們所挑選的測驗都是先前已被出版過，而且被研究人員用在研究社交焦慮上面，因此我們得以列出一些不同群體在每一份測驗上所獲得的『標準』分數，這會使你更容易估計，你自己的焦慮是屬於哪一個範圍。

然而，了解這些測驗有它們的限制，是很重要的。單單一個測驗分數，並無法決定你是不是有社交焦慮的問題。在每一份測驗上，有焦慮問題的人的分數會與沒有問題的人，有重疊之處。對你來說，什麼才是『正常』，也要依你的年齡、性別，以及生活中的其他因素來決定。譬如，『演講家個人信心報告』的分數，可能跟不需要做任何演講的人，一點關係也沒有。因此，測驗有可能幫你釐清你的狀況，不過它們無法替代常識或一個心理衛生專業人士所做的完整評析。

## 測驗你對人際互動關係的恐懼

嘗試在單一的量表上，測量社交焦慮問題的一個困難之處是，這些問題在不同的人身上會以不同的形式出現。譬如，有些人害怕參加派對以及與陌生人會面，而其他人可能不介意參加派對，不過一想到要對許多人演講，便會心驚膽跳。有些人擔心他們會在觀眾面前表演得很糟，而其他人則怕觀眾會注意到他們的臉紅。心理學家馬克‧利里所發展的『互動性焦慮量表』，檢視了各種社交場合中的各種焦慮感受。

## 互動性焦慮量表

仔細閱讀每一個項目，決定每一條陳述適用於你的程度。然後依據以下的等級，把1到5其中一個字母填入空白處。

1＝該陳述完全不符合我的情形。
2＝該陳述稍稍符合我的情形。
3＝該陳述適度符合我的情形。
4＝該陳述非常符合我的情形。
5＝該陳述極度符合我的情形。

（　）①我連在非正式的聚會中，都會經常感到緊張。
（　）②當我在一群我不認識的人當中時，我通常會覺得不舒服。
（　）③當我在對異性說話時，我通常會感到不自在。
（　）④當我必須跟老師或上司講話時，我會變得很緊張。
（　）⑤派對往往使我感到焦慮、不舒服。
（　）⑥在社交互動中，我大概比大多數的人容易害羞。

（　）⑦在跟我不太熟的同性談話時，我有時會感到緊張。
（　）⑧如果我參加求職面談時，我就會變得很緊張。
（　）⑨但願在社交場合中，我會更有自信。
（　）⑩我經常在社交場合中感到焦慮。
（　）⑪大致來說，我是個容易害羞的人。
（　）⑫在跟一位迷人的異性交談時，我經常感到緊張。
（　）⑬當我打電話給我不太熟的人時，我經常感到緊張。
（　）⑭當我對權威人物說話時，我會緊張。
（　）⑮在別人身旁我通常會感到緊張，即使是跟我自己很不一樣的人。

## 總分反映互動焦慮量表

詮釋你的分數——對大學生所做的一個研究發現，那些因為社交焦慮問題而尋求幫助的人，在這個測驗上所獲得的平均分數是五十五分，而一群任意挑選的學生其平均分數為三十八分。

除了拿你的總分與這些參考群的分數比較之外，你在個別項目上的分數也可能很值得你留意。是不是有特殊的場合會製造出高度的不舒服或焦慮感？譬如，你的焦慮是集中在與異性的互動上嗎？你對特定項目的反應，有可能為你指出你需要下工夫的特定領域。

## 測驗在社交場合的懼怕與迴避

『利鮑威茲社交焦慮量表』也有助於認出，那幾種社交與表現場合會引發焦慮及迴避。這個量表是由研究社交恐懼症療法的哥倫比亞大學研究人員所發展出來的。量表上的每一個場合都記有兩個數字：一個指出你在該場合中所感受到的恐懼或焦慮程度，另一個數字則指出你迴避它的可能性。倘若你很少遇到某一場合，那麼你可以想像一下，你將會多麼的焦慮，還有如果該場合果眞出現時，你將會迴避它的可能性有多大。把每一欄的分數加起來，然後算出這些恐懼及迴避分數次總和的總和（最高分數為一四四，最低則為零分）。

### 利鮑威茲社交焦慮量表

使用以下的索引來決定你在每一個場合所經歷的恐懼或焦慮程度，以及你迴避該場合的頻率：

### 恐懼或焦慮指數

0＝無
1＝輕微

2＝中度
3＝嚴重

## 迴避

0＝從未
1＝偶爾
2＝常常
3＝經常

（　）①在公共場所打電話
（　）②參加小型團體
（　）③在公共場所吃東西
（　）④跟別人在公共場所喝東西
（　）⑤與權威人物交談
（　）⑥在觀衆面前演戲、表演，或演講
（　）⑦參加派對
（　）⑧工作時被人觀察
（　）⑨寫字時被人觀察

（　）（　）⑩打電話給你不太認識的人
（　）（　）⑪與你不太認識的人交談
（　）（　）⑫與陌生人會面
（　）（　）⑬在公共場所小便
（　）（　）⑭進入一個別人已經入座的房間
（　）（　）⑮成爲注意力的焦點
（　）（　）⑯在會議上發言
（　）（　）⑰參加測驗
（　）（　）⑱對你不太認識的人表達你的不同意或不贊成
（　）（　）⑲與不太認識的人作目光接觸
（　）（　）⑳對一群人做報告
（　）（　）㉑嘗試要結識某人
（　）（　）㉒到商店去退回商品
（　）（　）㉓舉辦派對
（　）（　）㉔拒絕一個高壓推銷員

次總分：恐懼或焦慮＋迴避＝總分，社交焦慮量表

詮釋你的分數——根據研究顯示，社交恐懼症患者在『利鮑威茲社交焦慮量表』上的總分，平均大約是七十八，而大部分患者的分數都介於三十五到一百之間。

雖然高於三十五的總分表示測驗者很可能有社交焦慮問題，但得分低於三十五的人，在下任何結論之前，還是需要經過更詳細的檢查。這是因爲即使分數低，個別項目倘若爲二或三，也可能指出有問題的特定區域。

這個量表也在治療期間被用來測量症狀改善的程度。當改善以緩慢的速度進行時，它可能在變得明顯之前，就能夠由量表測出。在研究中，以有效藥物或認知行爲療法治療二或三個月後的社交恐懼症患者，量表總分顯示出平均大略有百分之五十的改善。你可能在完成幾個月的治療或在嘗試後面篇章所概述的自助計劃之後，會想要重做『利鮑威茲社交焦慮量表』。

## 測驗社交焦慮對生活的衝擊

另一個由哥倫比亞大學研究人員所發展出來的測驗爲『利鮑威茲障礙性自我定級量表』。該量表乃是用來測量社交焦慮對一個人日常生活中的運作有多大的干擾。這份問卷調查產生兩個總分：『目前』障礙性分數最有用，因爲它反映出你的焦慮問題在過去的兩個禮拜中，干擾生活的嚴重程度。如果社交焦慮問題在從前比較嚴重，那麼『終生』障礙分數則反映出，當社交焦慮問題在最嚴重的時候，它們干擾到你的生活的嚴重程度。

人們傾向於低估社交焦慮影響他們的生活的程度。爲了正確地完成這個測驗，在回答每一個問題之前，先考慮以下這個問題將有所幫助：『倘若我沒有社交焦慮問題，那麼在生活中的這個區域裡，是不是任何事情都會有所不同呢？』試著對你自己誠實。

## 利鮑威茲障礙性自我定級量表

你的情緒問題（社交恐懼及迴避）影響到你做以下每一件事情的能力有多大？在0、1、2，或3中圈出一個答案。

0＝沒有問題
1＝問題輕微
2＝中度問題
3＝問題嚴重

事情順利時，心情大致會很好？
（　）在過去的兩個禮拜中。
（　）一生／當焦慮最嚴重時。

在經濟與智力允許的狀況下，讀到最高的學位？
（　）在過去的兩個禮拜中。
（　）一生／當焦慮最嚴重時。

保有一個能讓我發揮最大才能的工作（無論在外工作或在家工作）？
（　）在過去的兩個禮拜中。
（　）一生／當焦慮最嚴重時。

與我的家人大致上有良好的互動？

（　）在過去的兩個禮拜中。

（　）一生／當焦慮最嚴重時。

擁有令人滿意的浪漫／親密關係？

（　）在過去的兩個禮拜中。

（　）一生／當焦慮最嚴重時。

擁有至少幾個好朋友以及一小群熟識朋友？

（　）在過去的兩個禮拜中。

（　）一生／當焦慮最嚴重時。

投入嗜好或其他興趣的事情（像是宗教、運動等等）？

（　）在過去的兩個禮拜中：

（　）一生／當焦慮最嚴重時：

從事個人的購物、家事及雜務個人衛生（譬如洗澡、刷牙）？

（　）在過去的兩個禮拜中：

（　）一生／當焦慮最嚴重時：

無能量表

（　）目前總分

（　）一生總分

詮釋你的分數——有一個研究使用這個量表來比較沒有焦慮問題的成人與社交恐懼症

患者。無焦慮組的『目前總分』和『一生總分』的平均分數都低於1。然而社交恐懼症患者的目前分數平均大約爲八，一生分數則爲十二。社交恐懼症患者的目前分數之所以低於一生分數的原因之一是，他們之中大部分人已經因爲該問題而在接受治療。

跟前一個量表相同，個別項目如果得到二或三分，那麼這可能指向一個有問題的區域。在決定一個人的社交焦慮是不是大問題時，弄清楚社交焦慮干擾生活運作的嚴重程度，往往是非常重要的關鍵。

## 測驗你的演講信心

就與演講活動有關的焦慮而言，像是婚禮上的致詞、課堂上的發言，或是對衆人演說，這個測驗有助於測出問題的嚴重性。『個人演講信心報告』最初發展於一九四〇年代，作爲研究溝通技巧的一項工具。數年之後，它經過修改，現在被用來測量演講焦慮。

## 個人演講信心報告

在每一個項目圈出『眞』或『僞』，要最能符合你在最近的一次演講所經歷的感受。把你所圈選的答案旁邊的數字加起來，以此來算出你的總分。

（　）①我期盼獲得在衆人面前演講的機會。

眞（0）　僞（1）

（　）②當我在台上嘗試要拿某物時，我的手會發抖。

眞（1）　僞（0）

（　）③我一直很怕忘掉演講詞。

眞（1）　僞（0）

（　）④當我在對觀衆說話時，他們看起來很友善。

眞（0）　僞（1）

（　）⑤在準備一場演講時，我會處於持久的焦慮狀態。

眞（1）　僞（0）

（　）⑥演講結束之後，我覺得自己有了一次愉快的經驗。

眞（0）　僞（1）

（　）⑦我不喜歡運用我的身體和聲音來表達意思。

眞（1）　僞（0）

（　）⑧當我在觀衆面前講話時，我的腦筋會變得一團亂。

眞（1）　僞（0）

（　）⑨我不怕面對觀衆。

眞（0）　僞（1）

（　）⑩雖然在起身之前我會緊張，但我很快就會忘掉恐懼，開始享受該經驗。

眞（0）　僞（1）

（　）⑪我以十足的信心期盼演講的到來。

真（0） 僞（1）

（ ）⑫演講時，我覺得我完全控制著自己。

真（0） 僞（1）

（ ）⑬我喜歡帶著講稿上台，以防萬一。

真（1） 僞（0）

（ ）⑭我喜歡觀察觀衆對我的演講的反應。

真（0） 僞（1）

（ ）⑮雖然我跟朋友聊天時，說得很流利，在台上我會找到不話說。

真（1） 僞（0）

（ ）⑯演講時，我覺得輕鬆而自在。

真（0） 僞（1）

（ ）⑰雖然我不喜歡做演講，但我並不特別懼怕它。

真（0） 僞（1）

（ ）⑱我總是儘量逃避演講。

真（1） 僞（0）

（ ）⑲當我看觀衆時，他們的臉一片模糊。

真（1） 僞（0）

（ ）⑳在嘗試對一群人說話之後，我會變得很討厭自己。

眞（1） 僞（0）

（ ）㉑我很喜歡爲演講做準備的經驗。

眞（0） 僞（1）

（ ）㉒當我面對觀衆時，我的頭腦很淸楚。

眞（0） 僞（1）

（ ）㉓我說得很流利。

眞（0） 僞（1）

（ ）㉔就在起身說話之前，我會流汗、顫抖。

眞（1） 僞（0）

（ ）㉕我的姿勢變得僵硬、不自然。

眞（1） 僞（0）

（ ）㉖對一群人說話時，我從頭到尾都旣緊張又害怕。

眞（1） 僞（0）

（ ）㉗我發現期待演講的心情滿愉快的。

眞（0） 僞（1）

（ ）㉘我很難找到正確的字眼來表達我的想法。

眞（1） 僞（0）

（ ）㉙一想到要對一群人講話，我就手脚發軟。

真（1） 僞（0）

（ ）⑳面對一群觀衆時，我的腦筋處於機警的狀態下。

真（0） 僞（1）

詮釋你的分數，對不同組實驗對象的研究顯示出，這個量表所測出的分數範圍頗廣。在一個對修習於演講課程的大學生所做的研究當中，一位研究人員發現其平均分數大約爲十二，有百分之七十的受測者得分介於六到十八之間。此一平均分數也許會比一般大衆的得分高一些，這是因爲懼怕演講的學生比較可能會去修習演講課程來克服他們的恐懼。高於十八的分數，可能反映出演講方面出了問題。另一個研究顯示，對演講不恐懼的人們，其平均分數大約是五分，而認爲自己有演講恐懼症的人們，平均分數大約爲二十分。如果你拿到頗高的演講焦慮分數，你可能需要考慮一下，你的焦慮是否有延伸至其他區域。除了做這個測驗之外，往回看看你在較爲廣泛性的社交焦慮測驗上，所獲得的分數。

## 測驗你的孩子的社交恐懼

『兒童社交焦慮量表』是設計給國小年紀的孩童使用的（二年級到六年級）。它的項目包括會導致憂慮的想法（『我很擔心被別人嘲弄』）及行爲（『當我和一群小孩子在一起時，我都沒說話』）。孩子們可以獨力完成這個測驗，不過那些需要閱讀及了解問題的協助的孩童，可以由一位成人來幫忙。

## 兒童社交焦慮量表

0＝從無此事
1＝有時候會
2＝總是如此

（　）①我害怕在其他小孩面前，做新鮮事。
（　）②我擔心被嘲弄。
（　）③我在不認識的小孩旁邊，會感到害羞。
（　）④當我和一群小孩子在一起時，我都沒說話。
（　）⑤我擔心別的小孩對我的看法。
（　）⑥我覺得同學們都在取笑我。
（　）⑦在跟新朋友說話時，我會緊張。
（　）⑧我擔心別的小孩不知道會怎麼說我。
（　）⑨我只和跟我很熟的小孩說話。
（　）⑩我怕同學們不喜歡我。

詮釋你的孩子的分數——小孩對任何心理測驗的回應，有時候所反映的是對最近事件的關心或感受，像是當天校車上所發生的事情，而不是持續存在的問題。由於童年社交焦慮，即使是在很明顯的時候，也很可能是暫時性的，而且容易與其他的焦慮及問題混在一塊，因此父母不應過度重視單單一個測驗。然而，高分的確意味著，進一步的觀察可能有所幫助。在協助孩童克服他們的社交焦慮方面，可以參看後面篇章的一些意見及訣竅。

在詮釋你的小孩的『兒童社交焦慮量表』分數時，要記得女孩比男孩傾向於獲得較高的分數，而且兩性的分數都會隨著年齡的增長而降低。國小女童的平均分數爲十分，百分之七十的女孩得分介六到十四之間。男孩的平均分數是八分，有百分之七十介於四分到十二分之間。就年級而言，二、三年級的平均分數爲十，到了五、六年級時則趨向逐漸減低爲八。雖然這個量表從未用來測試年紀更大的孩童，但社交焦慮分數有可能隨著青春期新的社交壓力的出現，而節節升高。

# 做自己的治療師

更受人、神歡迎的是那個自助者。所有的門皆爲他敞開：萬舌問候他、萬譽加諸他、萬眼追隨他。

——愛默生，一八四一

大部分的人以兩種方式處理他們最糟的社交恐懼：他們反抗它們或是他們迴避它們。反抗者尋找機會進入令他們害怕的場合。他們選修演講課程、接近他們所懼怕的人，而且希望『練習』可以減輕他們的焦慮。我們佩服他們的決心，他們的努力最後往往會獲得成功。然而不幸的是，在征服社交焦慮一事上，光光是熟練，並不見得總是能夠生巧。當練習一再導致同樣的焦慮症狀時，結果將很令人氣餒。

迴避者嘗試藉由遠離他們害怕的場合，來減少自己的損失。他們認爲，謹慎乃勇氣之精華。這些擅長逃脫術的專家，設法暫時把焦慮拒於門外，不過他們所付出的代價是，經常生活於迴避困窘的陰影之下。爲了逃避跟隨人群而來的焦慮，他們往往犧牲掉他們最渴望獲得的一些人際關係。不過你無法從頭到尾都避開所有的人。

不管是反抗或是迴避，許多人由於無法改變，以至於誤以爲他們不能改變。由於太過沮喪，有些人讓他們一生的抱負與理想逐漸破滅，要不然就是，他們安慰自己，他們反正對那些社交活動沒什麼興趣。實際上，研究已經證實，社交恐懼症患者能夠有所改變，而且通常眞的改變了——當他們用對技巧時。

在本章裡，我們畫出一份地圖來幫你找出對付及征服社交恐懼的路線。爲了紓解問題，你並不需要花上許多年來分析你的童年，以弄淸楚你爲何走到這個地步。對大部分願意努力克服社交焦慮的人而言，學習一些簡單的處理方法，將可很快導致進步。有些人可能會發現，這個療程在作爲心理療法或藥物治療的附屬品時，最爲有效。其他人則可能僅僅使用此一自助療程來幫忙對付他們的社交焦慮。對有嚴重社交恐懼症的人，或是有像是憂鬱症或酒精中毒等額外嚴重問題的人而言，我們不建議他們完全依賴這個自助療程。

該療程所運用的技巧曾經造福我們診所的病患以及我們社交恐懼症療法研究和世界各地療法研究的實驗對象。我們尤其受到心理學家李查．亨伯格在社交恐懼症團體治療方面的先驅研究所影響。構成此療程根基的認知—行爲原則，在前面有詳細的討論。不過，其中兩個指導原則，很值得在這裡特別提到。

## 一步一步之漸進法

雖然大部分的人都明白，要從A點走到B點，你必須一步一步地走，但很少人能夠把這個原則運用在他們持久的私人問題上面。有社交焦慮問題的人，在改變方面，很容易陷入一個『全有或全無』的思考模式裡。在此一模式中，爲任何次於完美的事情而努力是不値得的，而且完成任何次於完美的事情，會被視爲失敗。『失敗』於是越來越多，努力也跟著瓦解。

克服社交恐懼的一步一步法乃是以一連串小成功來替代大失敗。在我們的療程中，在學到新的處理技巧的同時，你將會擬出一個禮拜一次的拜訪計劃，一探令你懼怕的社交領域。每一個練習都會以比前一禮拜稍大的難度來挑戰你。雖然一步一步法解決問題的速度聽起來有些慢，但拿你將投入的時間跟許多人受制於恐懼的經年累月比起來，根本不算什麼。

我們記起一位已經上完博士班課程的學生，她有好幾年的時間一直無法著手寫她最後的一份一百五十頁長的論文。跟許多『專業的』A.B.D.（all but dissertation）（除了論文一切OK）一樣，她因為工作的繁重而被焦慮壓得喘不過氣來。我們其中之一位同學建議她，每天不要寫超過一頁。五個月之後，她完成了她的論文，而且六個月之內，拿到了博士學位。

## 建構法

我們的療程集中於建構一套新的處理技巧（一個積極目標），而非消除恐懼這個消極的任務。此一建構法與西方對病症或情緒問題的傳統途徑大不相同。有病的人自然希望獲得一個無需努力的治療，像是一九四〇年代能夠對抗致命肺炎的盤尼西林。一些有焦慮問題的人希望，好的治療師會簡單明白地揭露他們哪邊出了毛病，或是一個催眠師會使問題消失不見。然而，因為嚴重的行為問題而把注意力集中在簡單的療法，乃是為什麼這麼多人在自我改善方面的努力，做得不夠的一個原因，自我改善往往需要新技巧的發展。

建構法開始於就你的社交活動及能力而言，你希望未來的某時，你將會在哪個地方。以積極的話語來陳述你的目標，是完成這些目標不可或缺的第一個步驟。

## 基礎要素

三個必須被包含在成功公式裡的要素爲，正面思考、暴露，以及持久的動機。

**正面思考**　心理學領域一個普遍被接受的觀念是，高度負面的思考模式往往帶來不愉快的情緒反應。如果你懷著害怕的想法進入一個場合，像是『我絕對無法完成這個演講』，那麼你大概就會經歷到焦慮。倘若你集中注意力在令人沮喪的想法，像是『沒有人在乎我』，你便有可能感到沮喪。即使當負面的思想是不正確的時候（而且它們在有社交焦慮的人身上經常不正確），它們可能會引發或加強負面的情緒。

有關此一關係的好消息是，假使你設法中性化一些你對某些場合的負面偏見，你便能夠正面地影響你的情緒狀態。『改變』牽扯到學習認出從某些場合中自動跳出的負面想法——以及學習以更理性、有效的想法來替代非理性或負面的想法。『我絕對無法完成這個演講』變成『一開始我可能會感到不自在，不過一旦我開始講之後，情況就會變得越來越好，而且向他人傳達我的思想及經驗，是很愉快的一件事情。』

**暴露**　克服任何恐懼的行爲原則，非常的簡單：接近與從事任何你不敢做的事情。爲了克服開車的恐懼，你需要接近，而且最後動手開車。倘若你的恐懼是演講，你必須找到觀衆，對著他們說話。

暴露療法牽扯到學習能夠使這個原則對你有效的方法。這包括先進入一些你只是稍微懼怕的狀況，然後才逐漸進入你最害怕的場合。要是你有演講恐懼症，你可能不會一開始便想要在『今夜秀』來一段單人演出的例行喜劇表演。

當你適當地進行有療效的暴露之時，由於你的『堅持不懈』以及讓你的身體自然地適應該場合，你在開頭所經歷到的緊張將會煙消雲散。最後所導致的緊張或焦慮的減輕，將具有強化的作用，這代表著，下次你會比較容易進入一個你所懼怕的場合。

**持久的動機**　我們此時記起那個電燈泡的老笑話：更換一顆燈泡需要幾個心理分析師呢？只需要一個，不過前提必須是，它眞的想要更換。由於你已經在自助療程這一章讀到這裡，看得出來你似乎有想要實施一個改造療程的心理準備。不過這也還不夠。心理產生想要開始改變一生的『熱度』，像是戒煙、減肥，或組織你的專業生活，是一回事，在到蛻變的痛苦而還能保有持久的動機，卻又是另外一回事了。

想要改變的動機在面對焦慮時，可能會搖搖欲墜，而在遭逢傾巢而出的恐懼時，更可能消失得一乾二淨。這些是你可以預期的正常反應，而且你可以藉由爲你的堅持不懈安排獎勵（強化作用），來對抗這些反應。更好的辦法是，你設計的療程可以有『內建』的強化作用。如果單單遵循療程，便會帶來它本身的獎賞，那麼你就不需要將目光放在彩虹盡頭那一盆遙不可及的黃金，或是依賴另一人不斷地爲你打氣、喝采。

遵循一步一步法也是維持動機不可或缺的要件。每一個小成功都會帶給你邁向下一個階段所需要的勇氣。當你準備好接下該挑戰時，你在移向下一步驟所感覺到的成就感，本身便是很好的獎勵。

不過我們還是實際一點吧。即使你有最好的意向及很強的動機，你仍然會在成功之路上遇到一些絆脚石。你最好在事前就知道，某些障礙可能會讓你跌倒，事情也不是都會順利地跟著計劃走。在進展中遇到錯誤或挫折時，你應該知道這是重新組織與計劃的好時機，而不是一味的怨天尤人。要記得——一個小錯誤並不等於是大災難！即便是一連串的失望或『復發』，也不該使你放棄努力，相反的，它意味著，你需要找出更具創意的解決之道。

## 開始進行——計劃

永久的行爲改變需要暫時的改變時間表。爲了要展開一個成功的自我改變計劃，你將需要安排時間來實施它。每個禮拜至少撥出一個小時來完成你療程上的工作（三個小時將會更好）。倘若你發現連每個禮拜分配一個小時都有困難，那麼你得重新考慮你是否要在此時嘗試這個療程。不是你的問題小到不值得每星期一個小時的努力（有可能），就是你在忙一些比你的心理健康更重要的事情，以至於每個禮拜一小時都投資不出來（不可能），要不就是，你正經歷到面對你的問題的恐懼以及你對我們的方法的療效有所懷疑（非常有可能）。

## 步驟一：你的目標爲何？

定下目標聽起來並不難——畢竟，你知道你想要你的感受變得更好。然而把籠統的慾望轉變成一個有用的目標，乃是一個極具關鍵的技巧。目標定得不好——使它們高不可攀、太模糊、對你不重要，或不實際——結果你當然會很失望。另一方面，深思熟慮出來的目標，將會大大提升你成功的機會，而且學習設定有用的目標，乃是一個你終生受用的解決問題的技巧。

你將需要擬定兩種目標，第一種是長期目標，這是一個有關你想要在，譬如，幾個月內達到的目標的陳述。第二種爲短期的『迷你目標』——能夠幫你爲完成較大目標舖路的星期目標。一位有登台怯場的年輕爵士樂手，可能會希望有一天和溫頓・馬沙里同台演出，不過他的第一個步驟也許只是通過下星期他的學校樂隊所舉辦的試聽會。爲了建立有效目標，遵循以下一些簡單的規則將會有所幫助：

(1)爲自己設定目標，而非爲別人。你可能希望，如果你在社交方面變得更有信心，某人將會覺得你更有魅力，然而他或她的行爲並非你能直接控制的東西，因此這將是一個沒用的目標。相反的，把你的目光放在某件你自己可以達成的事情上。譬如，一個有助於增加你的魅力的長期目標可能是：『我將會採取主動，進一步認識傑夫。』

(2)以積極的措詞來陳述長期目標。避免爲你將不會做的事情定下目標，像是『我說話時，將不會結結巴巴。』相反的，問你自己：我想要完成什麼？『在員工會議上，我將會說出並討論我的想法，』以及『我每年會在年度會議上，提出一份探討會計道德的報告。』

(3)目標應該與行爲有關，而非情緒性的。避免定下與你如何感覺有關的目標，像是『我將會在派對中非常的自在。』你無法直接改變你的感受。相反的，問你自己，你行爲中的哪些可觀察到的改變，將會讓你對派對的印象好一些。這個陳述，『我將會在每個派對上，至少主動跟兩個人打開話匣子，』避開了提到如何感覺的需要。你的感受將會跟隨在你的行爲目標達成之後。

(4)目標行爲必須在生理方面可以控制。除非你是個瑜珈大師，否則以你有可能控制的行爲目標（即使流汗時，我還是會維持目光的接觸，繼續交談）來替代控制非自主系統的目標（我將不會流汗）。流汗或顫抖等無法控制的症狀之改善，將會在行爲目標完成之後發生。

(5)目標必須切合實際。儘管這一點一開始很難判斷，你可以試著避開，即使對無焦慮問題的人而言，聽起來還是很冠冕堂皇的目標（我的表演精彩的程度，將會是他們有生一來第一次見識到）。這樣的目標通常會帶來失望。倘若你剛好是五百年才出現一次的天才，暫時把它看成是裝飾品吧！

(6)目標必須清楚而特定。避免籠統的陳述，像是『我將會更善於交際。』這句話到底是什麼意思？你將會請朋友來家裡吃飯？你將會參加聯誼會還是上夜總會？『每個月我會邀請一位朋友一起用餐』是一個明白陳述的目標。

(7)目標必須對你很重要。設定碎屑或無關緊要的目標，將會導致興趣及動機的消退。

不要害怕選擇一直是你心所嚮往的目標。

你所擬定的長期目標變成你的療程的一種任務陳述。在你通過自我改變的路途上，它們的功用乃是作爲發展較小的每星期目標（迷你目標）的指引。當你發展出更有效率的處理反應以及更頻繁地進入你所懼怕的場合時，社交焦慮便會減低。這反映出行爲心理學的一條基本原則：你的感受（情緒）跟隨在你的行爲的改變之後，而不是反過來說。不要等到非得覺得完全自在之後，才開始追尋你的目標。現在就可以行動！

姬兒在開始接受治療時，還是個很容易害羞的人。在大部分的社交活動中以及在書店工作時，與別人接觸都會令她感到焦慮。後來她並沒有嘗試改變她的整個個性，她只是在一些她很想改變的社交行爲中，挑選了幾個區域。

## 姬兒的整體目標

(1)我會主動跟走近收銀台的顧客說話。
(2)我會接受參加派對的邀請。
(3)我會參加手工藝展覽；我將接受邀請，到展覽會上示範如何紡紗。

在姬兒定下這些整體目標之後，她定下了一連串每星期的迷你目標，包括與顧客進行更頻繁及更久的談話、接受邀請參加好朋友會出現的派對，以及參加手工藝展覽，但還不示範如何紡紗。稍後，你將學會如何擬出迷你目標；不過首先，你的整體目標爲何？你可能需要修改好幾次，以確定它們符合以上所列的指導原則。你的整體目標爲何？請立刻塡上——

(1)
(2)
(3)

## 一張指引你的地圖——『個人指導表』概觀

『個人指導表』乃是使你一步一步邁向你的整體社交目標的組織系統。『個人指導表』幫你追蹤你目前的成就、把整體目標分解成迷你目標及每星期工作，以及督促你組織你的生活，以完成你的目標。

每星期你將會記錄目前的成就、該星期的社交暴露目標（迷你目標）、以及有助於完成這些目標的策略筆記。一旦你達成一星期的目標，你便填完一份新的『個人指導表』：上一星期的迷你目標，成為這一星期的目前成就。然後下一個步驟就被計劃成下星期的目標。

將數份空白的『個人指導表』插入一本筆記本裡，好讓你為你的進展做記錄。當你進行整個計劃，完成每星期的迷你目標時，每翻一頁便能提醒你，你正穩定地達成你的整體任務。

一旦你建立起長期目標，在三個月之後，你會想完成哪些任務，現在是計劃第一步的時候了。請注意，我們並沒有要求你一開始就擬出整個療程。一次增加太多的指導或步驟，最後將會使得幾乎任何有焦慮問題的人崩潰。不要把太多食物塞在嘴裡，免得你無法適當的咀嚼！

在計劃你的第二步驟之前，一定要看一下第一步驟的結果。你可能需要處理突然冒出來的困難。反之，如果第一步驟比原先預期的還要順利，那麼你可能想在下一次把目標定得高一些。

個人指導表

日期：

目前成就

星期目標

策略筆記（供完成迷你目標所用）

## 步驟二：目前成就

下一步驟乃是在『目前成就』一欄寫下到目前為止，你所完成的任務。譬如，假設你的目標是要能夠對著一大群的觀衆演講。問問你自己，你目前在公開演說這個領域，完成了什麼。也許你已經能夠對著一小群同事（五人以下）報告你的想法。或者你也許能夠明智地把資料組合在一塊，但無法把演講做完。在描述目前成就時，你應該遵循一些你在設定整體目標時，所使用的相同規則：

(1)以積極的措詞來陳述你的成就。

(2)成就必須是行爲性的。

(3)成就必須特定而淸楚。

你甚至會想要在迷你目標上比整體目標更爲特定。計劃時，寫下『我可以做些演講』是沒有太大幫助的。如果能加上『在五人以下的觀衆面前』或是『在非正式場合中』，那麼就能提供你在設定未來的迷你目標時所需要的細節。你的『個人指導表』現在可能看起來很像這一個：

日期：7／1

目前成就

(1)能夠爲演講做準備

(2)能夠在非正式場合對著五人以下的同事說話（像是午餐時）

星期目標

策略筆記（供完成迷你目標所用）

## 步驟三：星期迷你目標

在你記下目前成就之後，想想你的整體目標的下一個步驟。對許多人而言，這意味著嘗試你目前迴避的活動。譬如，假使你能在非正式場合對著五個以下的同事說話，那麼下一個迷你目標可能是，在會議廳或辦公室等正式場合對著五個人以下的觀衆說話。爲你的目標想出一個特定的報告主題、場所，以及時間。

倘若你已經能夠嘗試你所懼怕的活動（像是演講），那麼你需要集中注意力的可能是改善你的表現品質。這也許牽扯到某些迷你目標的設定，例如增加你與觀衆的目光接觸、爲演講添上一個幽默的故事，或是改善你對演講內容的專心程度，而非把重點放在驅散對觀衆批評的恐懼。

在設計迷你目標時，同樣的還是要回去遵守設定整體目標時的規則。唯一的不同點是，陳述迷你目標時，你的陳述必須越特定越好。這些應該是你在下星期有機會完成的目標。

## 步驟四：策略筆記

爲了達成你的星期目標，你將需要準備好一些策略。在『策略筆記』之下，你詳細地記下你將如何把工作做好。爲了完成迷你目標，你需要做哪些特定工作？光說你將會做a、b，和c，是不夠的。

日期：7／1

目前成就

(1)能夠爲演講做準備

(2)能夠在非正式場合對著五個以下的同事說話（像是午餐時）

星期目標

本星期在會議室對五個以下的同事談新的行銷觀念

策略筆記（供完成迷你目標所用）

要達成每一個目標，『做些安排』非常的重要。例如，假若本星期的任務是做一場演講，你必須計劃出你執行此一任務的時間和地點來。你可能也會想要記下重點或甚至你的整篇演講稿，以及一些你可能在練習及眞正上台時會用到的有效處理反應。

日期：7／1

目前成就

(1)能夠爲演講做準備

(2)能夠在非正式場合對著五個以下的同事說話（像是午餐時）

星期目標

本星期在會議室對五個以下的同事談到新的行銷觀念

策略筆記（供完成迷你目標所用）：

(1)寄電子郵件邀請函給行銷部門的五位同事，請他們於星期二早上九點到會議室開會

(2)星期一下午之前，把議程寄給同一批同事

(3)爲演講內容寄下重點，每天練習演講

(4)發展出一個處理反應，將它加入在這裡

## 步驟五：爲你的練習打分數

在社交『暴露』結束時（譬如，在嘗試演講之後），問你自己，『我有沒有完成我的迷你目標？』請注意，這個問題並非『我是不是在毫無焦慮之下，完成我的迷你目標？』

避免用『有……不過』這種反應來懲罰自己。姬兒在克服她在書店與顧客交談的恐懼及迴避方面，獲得穩定的進步，不過她傾向於看輕自己的成就。在成功地完成一個暴露任務之後，她會抓到自己在說『不過這不算進步，因為我還是有些緊張。』最後，姬兒學習到，改變她的行為才是關鍵，隨著定期練習她的新行為，她的焦慮最終將會減輕。

在每星期結束時，檢視你的『個人指導表』。如果你成功地完成迷你目標，你便可以填寫一張新的『個人指導表』。過去這一星期的迷你目標，變成下一星期的目前成就。現在你可以策劃新的迷你目標以及擬定新的策略筆記。

日期：7／8

目前成就

(1)我能夠在正式的場合對著五個以下的同事說話（像是會議室）

星期目標

(2)在會議室對著五——十個以上的同事談話

策略筆記（供完成迷你目標所用）：

(1)準備用來送到較大銷售群做季度報告

(2)在星期一之前，寄給十位銷售代表星期二報告的電子郵件邀請函

(3)每天提醒自己上星期的成功

(4)發展出一個處理反應，將它加入在這裡

填寫下一張『個人指導表』，象徵著你的成功，並且告訴你自己，你正逐步接近你的

較大目標的遂行。每星期都重複此一過程，直到你完成整體目標爲止。

倘若某一星期你無法完成迷你目標，這並不會造成嚴重的後果，也不是一個使你過早結束你的自助療程的理由。事實上，假使你在執行星期任務方面獲得百分之百的成功，這才是很不尋常的事情（而且我們可能不敢相信）。療程不小心出錯的原因有好幾種。你可能定下太難或不適當的迷你目標，果眞如此，你應該返回『個人指導表』的那一部分，策劃出更容易或更適當的任務。或者是，你沒有用恰當的處理策略及反焦慮工具來武裝自己。如果是這樣，你可以運用以下的『核心技巧』一節所建議的方法，來整理『個人指導表』上的策略筆記部分。

總之，成功的關鍵之一乃是一次只走一步。藉由自問你想要看到哪些正面的改變，來決定你的目標。藉由檢視你到目前爲止的成就以及把它們當作計劃下一步驟的跳板，來邁出你的第一步。藉由仔細計劃幫忙完成這些目標的策略筆記，來提高成功的可能性。最後，切合實際地評估自己的表現，而且不要吝惜讚美自己某個小步驟的成功。

## 核心技巧

**重點I：正面的處理反應或者如何讓你的頭跟著你的身體走**

大多數人在克服恐懼一事上，所需要的不只是一步步地暴露在他們所懼怕的社交活動中。當你在設計第一個社交暴露任務時，你很可能發現自己嘀咕著『我知道我絕對無法使自己執行第一個迷你目標中的演講任務，因爲我一開始就會失去控制！』這個整理技巧則提供了你在進行療程時，可以運用的工具（或處理反應）。

最重要的法則乃是你在一個困難的社交場合中，你能對自己做出一個正面處理反應。你可能已經猜著，將注意力集中在你自己『失控』的形象上，並非被視爲一個有效率的處理反應。然而，它卻可能有效率的讓你抓起狂來。一個更正面的自我陳述，將能減低全面的恐懼及焦慮。常見的例子包括『我從前已經做過，所以我知道我能做』、『我沒法讓每個人都滿意』，以及『我知道我對這個主題很熟悉』。

最適合你的處理反應，應該能對你自己特定的恐懼『說話』。你通常會懷著哪一類型的負面想法，進入一個你所害怕的社交活動中？學習認出這些負面自發想法，乃是邁向產生一個更爲正面的思考模式的第一步。『負面自發想法』非常難纏，不容易甩掉。它們之所以稱爲自發想法，是因爲它們無需努力就會出現——你可能在不知不覺中，花了好幾年的時間『美化』這些反應。要除去它們並不需要好幾年，但的確需要一條有系統的途徑。

在一張具有負面自發想法以及處理反應兩欄的『重點I』表格上，記錄你的負面想法。

負面自發想法

(1)他們會以爲我很笨

(2)我絕對無法安然渡過這個會議

(3)我想說的都是一些廢話

處理反應（請自行填上自我偵測結果）

有些人說他們記不起有關他們害怕的場合的任何『負面自發想法』。負面的想法幾乎是隱形的，它們就在那裡，不過由於是如此的自發，以至於不會引起你的注意。倘若你無法憶起任何的『負面自發想法』，記得每次在一個充滿壓力的社交活動之後，立即在紙上記下你的害怕的想法。

以下所列的是一些平常的『負面自發想法』類型，也就是許多社交焦慮患者經常擁有的錯誤思考模式。在你著手進行改變它的工作之前，先爲『負面自發想法』分類，會是個很有助益的練習，因爲它會讓你更加覺知到潛藏於你的思考模式內的錯誤類型。你的歸納過分大膽、你會解讀人家的心思，還是你經常把預言誤認爲事實？我們建議你，在你療程開始的時候，將你的每一個『負面自發想法』分類，如此你將來就會習慣於尋找相同類型的思考錯誤。在你熟悉這個方法之後，你可以在不用先爲『負面自發想法』分類的情況下，直接從『負面自發想法』移向下一個步驟（挑戰它們）。

常見的『負面自發想法』（認知扭曲）

(1)完美主義：『如果我的演講不屬於第一流，那我就會失敗。』藉由設下一個不可能的目標，你使自己立於必敗之地。

(2)期待瑕疵：『如果我看到觀衆席中有一個人皺起眉頭，我將會非常失望』（即使其他五十人都在點頭微笑）。你挑出一個小瑕疵，直盯著它看，忽略任何正面的經驗。

(3)看輕正面經驗：『前幾次的派對我都過得很愉快，不過那完全是運氣。這一次我一定死得很慘。』你輕視正面經驗，彷彿它們一點都不算數。如此一來，便無法從正面經驗中學習。

(4)把預言誤認爲事實：『我知道我會想不出什麼話來說。』你預測事情的結果會很糟，而且你把預言誤認爲已經成立的事實。

(5)『應該』陳述：『我應該很輕鬆的跟別人相處。』你用有『應該』這兩個字的陳述來判斷及處罰你自己，而沒有處理問題的本身。

(6)解讀人家的心思：『假使他看到我的手在發抖，他會覺得我很可憐。』你假設某人對你會有負面的反應，而你從未認眞印證一下你的假設是否正確。

(7)全有或絕無的思考模式：『除非每個人都喜歡它，否則我的整個表演將會白費。』你以二分法來看待你的表演，沒有爲只是良好的表現預留空間。

(8)僞相對論：『她總是很輕鬆自在。跟她比起來，我會顯得很糟。』你把別人捧得高高的，卻將自己貶得很低。

(9)過分大膽的歸納：『她不想和我出去——永遠沒有人會想要和我出去。』你將單一的負面事件視爲一個永遠不會結束的模式。

(10)情緒性推論：『我沒有安全感，所以大家一定把我看成一個失敗者。』你以爲你的感覺就是客觀的事實。

(11)自以爲是宇宙的中心：『老闆如此的吹毛求疵——他一定很討厭我。』你以爲老闆是針對你，而沒有注意到，你的老闆其實對每一個員工都如此。

挑戰常見的『負面自發想法』。在你決定你所犯的是哪些類型的錯誤之後（許多人犯下許多類型），下一個步驟便是，藉由問你自己一系列的問題，來挑戰每一個負面以及通常非理性的想法。

『我是不是百分之百確定，我的「負面自發想法」是正確的？』

『我曾經在這種場合中成功過嗎？』

『可不可能有另外的結果會發生……而不是我所懼怕的後果？』

『可能發生的最糟情況爲何？』

『我害怕的想法眞正的發生機率爲何？』

『一個客觀的朋友或旁觀者會如何預測？』

這裡的目的是要找出一個更積極、更理性的角度來看待該場合，而且導致較少的情緒反應。

讓我們探討一個普遍的『負面自發想法』：『他們會以爲我很笨』（一個解讀人家心思的例子）。你是不是百分之百確定，你會被別人視爲笨蛋？是否每一個人絕對認爲，你所說的話很蠢？你是不是曾經處於一個類似的場合中，而有人認爲你不笨（是否有一些旁觀者甚至認爲你很聰明）？運用這些問題的答案來架構一個更正面的處理反應，然後將這個『總結陳述』記在『重點I』上。

倘若你無法發展出一個處理反應，回去檢視你的『負面自發想法』。假使它們太過籠統或模糊，你可能需要使它們變得更加特定。譬如，拿一個太模糊的『負面自發想法』，『我一團糟』，將它帶到它的不合邏輯的結論：『我一團糟，因爲……我擔心我的手會發抖……大家都會注意到……他們會以爲我在嗑藥……我很快就會失去我的朋友和事業！』現在我們有了一些我們可以質疑的諸多特定恐懼，以供我們能發展出更有用的處理反應。

在你跳入之前，仔細考慮一下，一個即將發生的恐懼場合會是什麼樣子。想像哪些類型的消極思想會自動浮現，然後記下這些『負面自發想法』。人們傾向於把他們的『負面自發想法』看成事實；相反的，你要把它們當作未經測試的假設。事實不辯自明，但假設乃是經過教育的猜測，可以被測試，以決定它們是眞是假。現在你可以產生一個更切合實際的想法，將它記在『重點I』的『處理反應』一欄裡。

發展出一條你能相信的處理反應陳述，是很重要的，而非只是機械式地唸著打高空的標語。倘若該反應感覺起來不對勁，你最好回去挑戰『負面自發想法』，直到你找到一個更可靠的替代品爲止。譬如，吉姆正在爲一個即將來臨的行銷報告焦慮不已，此時他的按摩治療師建議他，使用她總是發現很有效的這則『斷言』：『我知道我會表現得專業而適任。』吉姆試了一下，但發現它似乎無法直接解決他自己的恐懼，他所擔心的是，人們會覺得他的演講味如嚼蠟。在以先前提到的各類問題質問自己之後，吉姆提出了這個處理陳述：『我知道自己有一些很棒的主意，大家也都這麼說。』他知道這是眞的，而且他發現，藉由唸出這句話，他經歷到緊張的緩解。

將處理反應建立到你的策略裡。當你擬定星期迷你目標時，把一個處理反應記在最初『個人指導表』的『策略筆記欄』裡。

將處理反應建立在你的練習過程中。在所計劃的社交暴露當天（像是對五位行銷部門的同事做報告），在會議前以及報告當中，對你自己默念新的處理反應。要記住，該處理反應乃是該星期中你所致力的整個理性途徑的具體化。

負面自發想法

(1)他們會以為我很笨

(2)我絕對無法安然度過這個會議

(3)我想說的都是一些廢話

處理反應

(1)其實我很聰明

(2)我曾經安然度過這類會議，沒有理由我這次過不去

(3)我有一些好主意

**重點II：思考如何暴露**

改善的關鍵乃是勇敢面對你所懼怕的社交場合或活動。每當你迴避或逃開你所害怕的場合時，你便經歷到立即但稍縱即逝的焦慮的緩解。儘管它有長期的缺點，這種緊張或焦慮的減輕，會使你著實鬆了一口氣，因此增大了你在未來逃避類似場合的可能性。你越能夠讓你自己往另一個方向移動，甚至讓你極度暴露在你所害怕的場合中，你的進步就會進展得越快速。

日期：7／8

目前成就

(1)能夠爲演講做準備

(2)能夠在非正式場合對著五個以下的同事說話（像是午餐時）

星期目標

本星期在會議室對五個以下的同事談到新的行銷觀念

策略筆記（供完成迷你目標所用）

(1)寄電子郵件邀請函給行銷部門的五位同事，請他們於星期二早上九點到會議室開會

(2)星期一下午之前，把議程寄給同一批同事

(3)爲演講內容託下重點，每天練習演講

(4)處理反應：『我有一些好主意』

(5)每天在練習前後，檢視『負面自發想法』及處理反應

把這個自我指導的改變時期，視爲一個實驗新社交行爲及場合的機會。計劃一些能夠稍微超越你平常風格或習慣的活動。如果你通常不跟雜貨店的收銀員說話，那麼你可以主動開口跟她交談一下，或是向一群陌生人問路，即使你並不是眞的需要。

在你生命中的這個實驗期，督促你自己嘗試這些新行爲。要記住，在這樣的『練習遭遇』中，你並不會有多少的損失，即使你最嚴重的恐懼會浮現出來。當練習進行得很順利時，你將能夠轉移你新信心的一部分去處理最困擾你的場合。

倘若在這些場合中你不知道該怎麼辦，你可以想想那些擅長它們的熟人。他們會如何應付這些活動？他們會說些什麼話？不要嘗試『變成』這些人的其中之一，但你可以選擇

他們的社交行爲的一或二個層面，來當做你自己行爲的模範。譬如，姬兒在看書店時，想不出話來跟顧客交談。於是她決定多多注意她的同事凱特，她總是跟顧客相處得頗爲愉快。凱特有時候藉由稱讚顧客正在購買的書籍，來開啓一個話題。姬兒試了一下這個辦法，結果發現它使她很容易就跟顧客聊起天來。

**重點Ⅲ：自信選擇**

容易害羞的人往往藉由隱藏他們的想法或感受，來處理他們面對別人的恐懼。他們高估有話直說的危險性，因而在他們的沉默中尋求保護。這可能會帶來短暫的安全感，不過代價並不小。不敢把話說出來的後果通常是把怒氣導向自己（我怎麼會這麼沒種，讓他又騎到我的頭上！）或是導向較敢把話說出來的那個人（他怎麼可以這麼不顧我的感受？）。但是當你在沒有讓你的聲音被別人聽到的同時，難道你還期望別人能夠解讀你的心思嗎？有話直說的人可能會以數種方式來詮釋羞怯者的沉默：他或她可能以爲沉默者不感興趣、在生氣、在暗罵他或她，或是默默地同意他或她。

沉默或迴避可能是你偶爾用來處理困難狀況的策略。然而把迴避當成唯一的選擇，對你是否值得呢？它有無產生正面的結果？另一個你可以採用的方式乃是自信選擇。這牽扯到，以冷靜的態度傳達你確實的想法而不會激怒他人。這種自信選擇的形式很簡單，而且它通常會被別人適度地接受，即使他們不同意你所說的話。在大部分的狀況下，如果你所給予的訊息誠實而明白，並且尊重別人的感受或態度，那麼他們往往會給你正面的回應。有時候當別人的確介意聽到一個不是他們自己的觀點時，一個簡單的暗地裡默念的處理反應，將能支撐你的信心，像是『我有權利表達我自己的看法』（參看重點I）。你可以用四個步驟來實施『自信選擇』：

第一步：藉由說些正面的話來承認別人的觀點。（譬如，在跟老闆談話時：『我了解你所提到的改變記帳方式所花的代價。你說得很有道理。』）

第二步：藉由說出你的需要或想法來肯定你自己的議程。（『我相信我們應該改變我們的記帳方式，因爲就長遠來看，所花的代價將會比較低。』）

第三步：保持冷靜，無論你從對方收到的回應爲何。（譬如，你的老闆正在大吼『我只在乎這個月的資產負債表，』此時你一邊點頭，一邊對你自己重複重點I：『即使他正在大吼，他冷靜下來之後，將會尊重我的直言不諱。』）

第四步：倘若對方似乎聽不懂或不了解你的想法，輪回第一步。（回去說『我了解你的觀點，不過因爲你要求我做分析，所以我希望你知道我的看法。』）

只要你提出訊息的方式不會傷害到別人，你就有權利發表你的意見。『自信選擇』提供了一條讓你的聲音以不具威脅的方式被別人聽到的途徑。

**重點IV**：角色扮演

**音樂家問路人：『我如何才能到卡內基廳？』路人：『練習，練習，練習。』**

**——來路不明的老笑話**

社交行爲是一個與其他行爲類似的技術，像是彈奏鋼琴或綁你的鞋帶。練習佔著極爲重要的地位。它們之間的不同點是，你可以隨心所欲的在任何時刻練習綁鞋帶，但社交場合卻較難控制，所以安排社交技巧的練習可能是個挑戰。然而，假如你有一個朋友或家人願意與你一起來扮演你所懼怕的社交活動的角色，那麼你便能克服此一障礙。你的搭檔可以扮演面試官、約會對象、演講或婚禮致詞時的觀衆成員。

即使一開始你可能會不習慣，你還是得把角色扮演得越逼眞越好。倘若你將要模擬婚禮上的敬酒致詞，拿出一個酒杯來，在你說話時，高舉著它。如果是求職面談的角色扮演，把你們的椅子排成眞正面談時的位置。要求你的搭檔在角色扮演的過程中，一直留在『角色裡面』（不准開玩笑）。

要求你的搭檔避免對你太客氣。當里克想要練習與客戶協商一份銷售契約時，他請他的朋友提出中度嚴苛的條件，而且要他不做輕易的讓步。之後，請你的搭檔給你誠實但有建設性的回饋。重點應該是你的一些優點以及你如何能夠改善你的表現，而非有關你做『錯』哪些事情的毀滅性批評。

就在角色扮演開始之前，想出一或二個你可以在練習過程中對自己說的處理反應。譬如，倘若你擔心別人會覺得演講無趣，你可能會想要在演講過程中的一個停頓時刻，提醒自己，『有些人曾經告訴我，他們覺得我的想法很有意思。』如在『重點I』所提到的，一個正面的認知片語能夠減輕焦慮，而自我批判的想法則會增加焦慮。

還有，開始之前先設定一個合理的目標。不要因爲所定的目標看起來太簡單而感到不好意思，像是『只要完成這個角色扮演就好』或是『使用我的自信選擇』。藉由在每分鐘以0到10的等級記下你的焦慮程度，來監視你的焦慮（0代表毫無焦慮，10則代表可能發生的最嚴重焦慮）。在完成角色扮演之後，首先決定你是否有達成你的目標：是或否。再來，檢視你的焦慮等級模式。你在角色扮演剛開始時最為焦慮？還是結束時？留意你的焦慮等級與你在當時所產生的的負面想法這二者之間的關係。倘若你在出發時就想『她會把我看成白癡！』你大概便會注意到較高的焦慮等級伴隨著這個想法。利用練習時間來『認知』你自己：想一想你經歷了哪些特定的負面想法，挑戰它們的眞實性，用更積極的陳述來替換它們。然後再試一次角色扮演。

當『不上眼』的傢伙死纏爛打，硬要克勞迪亞答應和他約會時，她往往會因為拒絕對方而產生罪惡感，擔心對方會難過或不高興。即使她內心深知，如果她說不，就長遠來看將會對雙方都有好處，但她害怕自己會無法抗拒對方的堅持。她於是向室友的男友卡勒斯求助，請他和她一塊角色扮演一幕戲，在這幕戲當中，她成功地使用自信技巧來推掉約會。她要求卡勒斯故意演出最嚴重的情節。它的一部分是這樣進行的：

卡勒斯：克勞迪亞，那麼今晚跟我去看場電影如何？

克勞迪亞：抱歉，我另有計劃。

卡勒斯：妳好像總是另有計劃。妳是不是要跟別人出去？

克勞迪亞：你這麼有毅力讓我感到很榮幸，不過我不認為約會對我們兩人有好處。

卡勒斯：嘿，克勞迪亞，如果妳連一次機會都不給我，這樣說就太不公平了。

克勞迪亞：我不想讓你難堪，而且我還希望能跟你做朋友，不過當你不用心聽我說話時，你使我覺得不太舒服。

卡勒斯：我不聽妳說話，這是什麼意思？我聽到妳在說『滾蛋吧！』

克勞迪亞：卡勒斯，我沒有這麼說，不過假使你說話非得大吼大叫，我想我必須離開了。

克勞迪亞驚訝的發現，這個練習感覺起來很逼眞。卡勒斯的功勞不小，他很投入的扮演『不上眼的傢伙』，而且不輕易接受對方的拒絕。克勞迪亞發現，在角色扮演的過程中當她感到焦慮時，她能夠堅持下去，完成她使用『自信選擇』的目標。『我不需要向他解釋我爲什麼不跟他出去』這個處理片語很有幫助，而且她在角色扮演結束時，感到信心大增。在眞實生活中，對方很快就了解她的意思——並沒有出現克勞迪亞過去常擔心的大吼大叫或傷害情誼的情事發生。

**重點V：放鬆**

有些人發現，就在進入一個會引發焦慮的場合之前，減慢他們的引擎，將會有所幫助。譬如，演員在布幕即將拉起前幾分鐘，經常會使用某種形式的放鬆練習。有許多方法都可以使人進入放鬆的狀態，包括自我催眠、冥思、瑜珈，以及呼吸控制練習等等，這還只是其中的一小部分。一個稱爲『肌肉深度放鬆』的方法，對鎮定身體的『打或逃系統』，尤其有幫助，許多焦慮症狀往往是『打或逃系統』所造成的。

肌肉深度放鬆法牽扯到，先緊繃特定的肌肉群，然後『讓它們走』，也就是放鬆同一肌肉群。在找到一個舒適、安靜的地點之後，坐或蹲下，從『根基』做起，繃緊你的腳趾頭。維持十到十五秒的時間，然後放鬆它們十到十五秒。當你放鬆肌肉時，說出『讓它們走』這幾個字。對以下的每一個肌肉群重複此一過程：小腿、大腿、臀部、肚子、肩膀、脖子（向前）、脖子（向後）、臉、前臂，以及拳頭。當你在放鬆這些肌肉群時，想像你的身體變得完全放鬆下來，重重地沉入你的椅子或沙發裡。一旦你做完所有的肌肉群，讓你自己安靜下來幾分鐘。倘若你注意到某一個肌肉群裡還殘留著一點緊張，你可以針對這個肌肉群再做一次緊繃、放鬆的動作。

當你第一次使用肌肉放鬆法時，最好從你不會極度焦慮的場合開始嘗試。它需要一些練習，所以可能的話，每天爲它撥出十到十五分鐘的時間。一旦你發現它有效，試著把它加入你用來對付社交焦慮的認知方法裡面。攻擊你身體內的焦慮，與攻擊你心智中的焦慮一樣，都能夠加強你對它的控制力。

## 檢修指南

我們已經教你一大堆如何克服社交恐懼的主意，但萬一某個地方出了差錯，那該怎麼辦呢？以下的指引可以幫你亡羊補牢。

萬一……

A：我無法使我的目標行動化

B：我似乎沒有任何的『負面自發想法』

C：我想不出任何迷你目標來

D：我未能成功地挑戰我的『負面自發想法』

E：我無法確實相信我的正面處理反應

F：我害怕執行我所計劃的暴露行動

G：我在我的第一波迷你目標獲得成功，不過接下來就沒那麼容易了

H：我懼怕的場合很少在眞實生活中發生；我如何能夠練習它們？

I：我的新自信是個問題；有人不喜歡它

J：我的焦慮似乎是生理上的；我無法停止臉紅

K：我有一個超級難搞的老闆，每一個人都怕他；並非只有我！

L：我找不到動機來做這個

A 我無法使我的目標行動化。想一想，一旦你有進步時，別人可能會注意到你自身的哪些改變。或是想像一下，當你在進步時，有人正用隱藏式攝影機在觀察你。這些人會在你身上看到何種不同點？你會不會到你從前不會去的地方，說出你從前避免說出的話，改變你的行爲舉止（譬如，與別人多做目光接觸）？

倘若你是那些實際上不會迴避任何行爲舉止的少數社交焦慮患者，那麼你可以檢視一下你的認知『行爲』。舉個例子來說，珍妮經常演講，也經常在工作上得到別人的稱讚。她並沒有迴避任何的行爲，不過在演講時，她有時候會擔心別人留意到她的臉紅及顫抖。珍妮定下目標，決定設法把自己的注意力完全集中在演講的主題上，而非讓她擔心自己的焦慮症狀。

B 我似乎沒有任何的『負面自發想法』。首先，試著在你焦慮時，尋找這些自發想法，

當它們發生時，儘快記下它們。如果這個方法沒效，問你自己此一概括性問題：『在這個場合中，何者似乎是我最懼怕的東西？』不要擔心它可能和你的想法不完全相同。這將會給你一個你可以利用的相近的認知。有些人會壓抑他們的『負面自發想法』，憂心它們好像會太愚蠢或太令人難爲情——不過這就是關鍵所在！將它們找出來，在光線中觀察它們的不合理。

C 我想不出任何迷你目標來。一旦你決定好迷你目標（我希望能夠在其他公司的董事會前，做銷售報告），而且你已經列出你的目前成就（我可以對兩、三個熟人做報告而不會感到焦慮），問你自己，下一個最小的進步將會是什麼（譬如，對兩、三個人做報告，其中一個是陌生人）。有些人拒絕這樣的潛在迷你目標，覺得一個小改變根本不值得大費周章。不要讓你自己用這個全有或全無的想法當作藉口，來避免邁出朝向改變的第一步。

D 我未能成功地挑戰我的『負面自發想法』。將你自己想成一個正在交互詢問證人的律師。在這個狀況下，律師具有你想要發展的態度，而證人則有你的非理性恐懼。以犀利的問題質問你自己：『「自尋煩惱先生」，你有什麼證據能夠證明，沒有人會欣賞你的主意？你敢百分之百的肯定，現場的每個人都會因爲你的有話直說而驚嚇到嗎？』另一個方法是，讓你自己變成觀衆。當你成爲觀衆的一員時，你會留意演講者的哪些地方？如果你聽到演講者說話結巴，你會不會遽下結論，說他或她是個笨蛋？

E 我無法確實相信我的正面處理反應。你可能還未完全說服你自己，你的非理性想法裡存在著一些瑕疵。回去挑戰你的『負面自發想法』，且應用前面的建議。發展出一個能夠直接針對你的恐懼的處理反應。

F　我害怕執行我所計劃的暴露行動。當你在想像執行你的暴露計劃時，練習使用認知處理反應（參看前面）。提醒自己，爲了改善你的社交技巧，你正在做『生活中的實驗』。這將會幫你與該場合保持些許的距離，且發展出一個更積極的觀點。假使你仍然躊躇不前，那麼你所設定的目標也許太過龐大，可能需要做些調整，再試一次。

G　我在我的第一波迷你目標獲得成功，不過接下來就沒那麼容易了。你已經變得習慣於迴避或逃離這些場合。當場合變得更困難時，你的焦慮當然會增加。檢視你目前的進展，提醒自己你的成就。要確定你設定的下一階段沒有太貪心。你可能想要回到前一個程度的場合中多做些練習，直到你更爲完善地準備好往前走爲止。當你移得越高時，你也許需要多付出一些努力，來挑戰『負面自發想法』。

H　我懼怕的場合很少在眞實生活中發生；我如何能夠練習它們？在婚禮上致詞或是上『今日秀』去促銷一本書，這種場合並不多見。找個願意幫你練習（角色扮演）該場合的朋友、配偶、或是一群朋友，將會對你有很大的助益。對一些許久未曾扮演想像中的人物的成人來說，角色扮演可能會顯得很拙。幫你自己一個忙，無論如何嘗試一下。

I　我的新自信是個問題；有人不喜歡它。你無法取悅每一個人。如果做得正確，自信行爲通常會很有效，不過少數人可能希望你仍然是個很好說話的人。當你在運用你的自信選擇時，請記住以下這一點，如此你才能合理地看清楚令人失望的事件：『我盡力尊重他的地位，並告訴他我想要什麼……。我猜我無法從頭到尾都讓每一個人高興。』

J　我的焦慮似乎是生理上的，我無法停止臉紅。最好的辦法是，不要嘗試徹底消除臉紅（或流汗或心悸）。這個嘗試鐵定會失敗。相反的，以合理的角度看待臉紅：『萬一我臉紅，又怎樣？這只是意味著我臉頰上的血管比較愛現而已。』試著向朋友宣佈你很容易臉紅，看看他們如何反應。請他們試著讓你臉紅，如此你便可以練習你的處理反應。當你能夠使用這樣的認知處理策略時（向你對臉紅後果的恐懼挑戰），你的臉紅症狀實際上將會減輕，這是因爲你降低了自我意識的緣故。

K　我有一個超級難搞的老闆，每一個人都怕他；並非只有我！並不是你所有的恐懼都是非理性的。（在心理學上，我們有一句話是這麼說的──『即使疑心病重的人都會有眞實的敵人。』）但你仍然需要發展出適當的處理策略來解決你對這樣一個人的反應。倘若大家都認爲老闆很難侍候，爲什麼要把它看成是你自己的問題？別人是如何對付他的？使用這些問題來幫你發展出正面的處理反應。

L　我找不到動機來做這個。倘若你找不出動機來，那麼你需要重新分析你想改變的意願有多大，以及是不是恐懼在使你退縮不前？決定不改變，是一種選擇，就如同決定改變是種選擇一樣。如果以這樣的角度來看，那麼你的任務乃是決定哪一個特定的選擇最適合你。要是你克服了社交恐懼，你的生活是不是會有所改善？到底值不值得在改變上做些努力？除了你，沒人可以決定。假使你想要改變，但被恐懼所阻擋，那麼尋求心理衛生專業人士的協助，將能幫你踏出第一步。

## 培養社交技巧

除了運用『整理法』來處理焦慮之外，有些人會受益於學習特定場合的社交技巧。雖然本書無法囊括這個主題的全部，我們在這裡放入一些額外的主意，供你在以下的場合中使用：

### 約會

男女兩性最容易犯的最大錯誤之一是，以爲每次約會都應該促使一個終極愛侶的誕生。這是一個典型的『全有或全無』的思考錯誤。它製造出過量的壓力，並且讓你難逃失望的命運。一個另類的看法是，約會可以是一個出外享受快樂時光的機會。挑選你可能會喜歡的活動，將注意力集中於趣味，而非愛情上面。

假若約會進行得不順利，試著不要對你自己的表現批評得太過嚴苛。約會研究顯示，終極成功的關鍵之一乃是維持著高頻率的努力。換句話說，想要變得擅長約會的最好辦法是，約一大堆的會。將每一次約會視爲練習你的約會技巧的另一個機會。

對那些長久缺乏練習的人而言，最好向擅於約會的人們請教一下。異性朋友可能是一個特別好的資訊來源。男士可以問一位熟悉的女性朋友，看她是否願意陪他上街買衣服。也可以請朋友或同事建議一些他們很喜歡的第一次約會活動。

在第一次約會時，你也許會緊張得不知道要說些什麼話。你可以依賴一些通常會導致有意思談話的『開放性』問題，像是『你閒暇時間都怎麼安排？』或是『你上班時都做些什麼？』，而不要問『是或不是』的問題，因爲這樣的問題通常是會話殺手。問開放性問題，顯示出你對對方有興趣，並且讓對方在無負擔的情況下，共享會話的樂趣。

還有就是要傾聽對方的回答！有些人是如此的專心於思考接下來要說什麼，或是如此的擔心他們帶給別人的印象，以至於未能留意約會對象的回答。對方的回答裡往往有一些能讓會話自然持續下去的材料。

如果約會結束時，你覺得度過了一段美好時光，那麼就要說出來。只要這些話是被簡單而直接的說出，人們便喜歡聽。如此，雙方就不用互相猜測對方的感受。要記住，你的約會對象可能跟你一樣，懷有對約會的擔心及焦慮。最後，不管你是男是女，倘若你想要再看到對方，隔天便主動打電話給他或她，跟對方約第二次的會。對方通常會很高興你提出這樣的要求來。可能發生的最壞狀況是，他或她拒絕了。要記住，大部分的約會關係在開始後不久便會結束，而且之後要確定其原因，通常是不可能的。

## 演講

**準備好。**

——舊男童軍榮譽誓詞

把演講視爲一個溝通想法的機會，而非演說技巧的測驗。觀衆通常對你的演說內容比對你如何說它，更有興趣許多。

在某些案例當中，對即將來臨的演講或報告的焦慮，會使得人們迴避細心的準備。光是想到準備一事，便會產生深具破壞性的想法及意象。倘若你很了解你所演講的內容，你將更能夠面對負面的認知，像是『我將會不知道說些什麼』。你還可以嘗試對著錄音機唸你的演講稿或某個會議上的評論。其實傾聽所錄下來的東西並不重要；單單是使用錄音機練習，就能使人們習慣於在觀衆面前大聲說話。在你準備好之後，請一兩個朋友當你的觀衆，對著他們演講。遵循先前在『重點Ⅳ：角色扮演』裡所提到的程序。

研究優秀演說家的演講習慣，包括那些你可能在電視上所看到的。挑選出一兩樣你覺得很吸引人的特色。當我們作者其中一人花一點時間注意某個知名精神病學家的特殊演說習慣時，該演說者的一些技巧就變得很明顯了。在提到重點時，他會戲劇性地增加說話聲音的強度及音量，而且會藉由將身體傾向發問者以及做目光接觸，來回應觀衆的問題。

## 參加陌生人的派對

幾乎每一個人都會憶起，在他們生命中的某一時刻，曾經因爲參加某個派對而感到緊張。倘若你不認識派對上大部分的人，那麼『誰在乎他們喜不喜歡我』這個處理片語，往往會有幫助。畢竟，如果他們不認識你，而你也很可能再也不會和他們碰面，那麼何不大膽一試，投入所有的籌碼呢？同樣的，與約會和演講類似，最好將注意力集中於與人們溝通的機會上面，而非把派對看成一個考試。

從行爲上的觀點來看，最好在一抵達某個派對時，便立即試著『跳入』一個會話當中。

假使第一或第二個嘗試不盡人意，那麼再跳入另一群參加者之中，並讓他們知道你的出現。大部分的陌生人最終都不會成爲相見恨晚的好朋友。你參加的會話越多，最後你找到一群你喜歡的人的可能性便越大。記得使用開放性的問題，像是『你們大家在談些什麼？』或是『你覺得這個派對如何？』這種傳統（以及聽起來過時）的問題，也可以充當破冰任務：『介意我加入嗎？』或是偶爾甚至『我是不是曾經在哪裡見過你？』——不過最好不要『你這個人眞是棒透了……』。

假使你未能輕易進入別人的會話圈，你可以先爲自己準備好有關你自己的一個故事或笑話，以便在機會來臨時派上用場。徹底的自發性當然很難，不過也不要讓你自己受制於一個全有或絕無的想法。稍微的計劃足以減輕你的焦慮，而且最終將能使你變得更自發些。

## 成功之後

在達成你的目標之後，請不要把本章就此丟掉。社交焦慮問題不是『一次性』交易；它們並非麻疹般可以帶給你終生的免疫力。無論你的生活趨向何處，社交焦慮可能會隨著領域出現。唯一不同的是，現在你將有方法來對付任何的爆發，防止它變成一個大問題。

譬如，姬兒承認，雖然她常常會和書店的顧客閒聊，但三不五時她會開始專注於有關自己的表現的負面想法，以及感到些許的緊張。不過她沒有跟以前一樣，被焦慮征服而閉緊嘴巴，她取出她學習過的認知—行爲技術來處理社交焦慮。如果是個短暫的問題，她可能嘗試認出哪些負面的想法正侵入她的意識之中，並挑戰它們不切實際的屬性。倘若問題繼續困擾她有幾天之久，她就會抽出『個人指導表』，開始記錄『她的位置』、設計迷你目標，並且腦力激盪出再度向前進展的策略來。

自從二十八歲離婚以來，儘管幾年前她在接受演講恐懼症治療時曾獲得進步，珍妮佛發現她過去的許多社交恐懼又再次浮現出來。回復單身之後，她發現單獨參加社交活動和派對，出人意料的特別容易引起她的焦慮。不過幸運的是，在對付她的焦慮方面，她可不用從頭做起。一旦珍妮佛認出，她的社交焦慮其實只是一個老主題的變奏，她就知道她能夠對付它了。她有一大堆最近習得的處理技巧，埋在她的社交劇目的某個地方。當她有系統地將這些技巧應用於她的新問題時，她的進展比第一次對付社交焦慮時快多了。焦慮會來來去去，但處理技巧卻可以終身受用。

最後，要是你發現，以自助法來對付社交焦慮還是困難重重，你並不需要覺得全盤皆輸。尋求治療師的協助，可以提供你可能需要的臨門一腳。對許多人而言，由一位客觀的專家幫你檢視你的努力、供給有關星期目標和處理秘訣的主意，以及與你一起慶祝你的成就，如此所放送的強化作用，很可能意味著失望與成功的差別。

# 面對恐懼

你的力量、勇氣，以及信心，來自於每一個你確實停下來正視恐懼的經驗。

——愛倫娜．羅斯福

## 克樂怡的故事：『我再也不想忍受下去！』

克樂怡是在她的第三十個生日那一天，決定自己已經受夠了。儘管她在城市裡的秘書工作沒什麼問題，她覺得她的生命流逝於她不想要的事業上面。生長於一個勞工階級的家庭，下有四個弟弟，克樂怡總是渴望著從事與幫助幼童有關的職業。她知道大學教育將是幫她在這個領域打開通路的關鍵。然而，在過去，空想著她的目標，是克樂怡唯一的進展。

克樂怡的問題所在，並非因爲她缺乏大學教育所需要的金錢、動機，以及聰明才智。她的高中成績很好，而她的指導顧問曾經鼓勵她申請學校。克樂怡拒絕了。當時，她說服自己，秘書工作也不錯，而且畢業後馬上賺錢將很吸引人。其實眞正的原因是，她懼怕在課堂上發言。

高中時，雖然她有很多話想說，她從未自動回答老師的問題或是在討論會上提供意見。她會戰戰競競地準備老師指定給她的課堂報告，但最後卻總是屈服於自己的演講恐懼，在報告那一天裝病不去上課。她的老師和家人也犯下通融她逃避演講機會的錯誤。老師們很喜歡克樂怡，他們不計較她的缺乏參與，給她的書面報告很高的分數。她的父母非常的傳統，從未重視他們的女兒在學校的成就。他們相信，她將會變成一個快樂的妻子和媽媽，將來不用做任何的演說。現在克樂怡利用她的三十歲生日，當作實現她長久以來渴望的夢想的出發點。

克樂怡在當地的報紙上看到一則醫學中心研究演講恐懼治療的廣告。由於她無法每星期都前往城市的另一頭，去參加該研究計劃所要求的約會，醫學中心提議爲克樂怡轉診到另一診所，要不然就是請她執行一個自助版本的治療計劃。她決定選擇後者，遵循一本自助手冊的步驟，每個月只造訪我們其中一人一次，以便檢視她的進展。

一開始，克樂怡下工夫發展出幾個清楚、客觀的目標。這個步驟其實並不容易，因爲她了解，她對自己的終極目標只有幾個模糊的想法，包括上大學以及服務孩童。克樂怡遵循自助手冊上的指導，試著把目標定得明確一些：『爲了達到我的事業目標，就我的演講恐懼而言，我到底還需要以及欠缺什麼樣的努力？』她決定，第一個主要步驟當然是上大學，而要把大學讀好，則必須敢在課堂上發言。她決定設下一個全面性目標，讓自己有話要說時，敢在衆人面前開口說話。

有了這個全面性目標，克樂怡開始思考短期任務，將這些任務『並排』起來，最後便能完成較大的目標。這也是不容易，因爲她已經把她目前的生活安排成不需要做任何的演講。她將需要創造一些公開說話的機會，好讓自己暴露於所懼怕的場合中。

她憶起，最近她的教會曾經邀請她向教友做一次報告，內容是她在當地的『老大哥——老大姊』當志工的經驗，當時她拒絕了。其實這可以當作一個中級步驟，不過如果馬上嘗試，負擔似乎太大。畢竟，她目前在演講方面的成就，只侷限於對著二或三個人講故事，從未做過正式的演說。克樂怡決定她的第一個迷你目標，將會是單純對著錄音機演講她的志工經驗。由於她不喜歡自己的聲音，而且甚至厭惡在電話答錄機上留言，所以這可不是一個小步驟。

克樂怡在演講中不僅談到她的經驗，還組織了她個人對『社會如何忽視它的兒童』的看法。她開始喜歡上此份演講稿，而且甚至發現自己很期待這次的錄音。由於她擔心別人不喜歡她的聲音，所以她發展出一個處理反應，決定在演說過程中提醒自己，她的目標是要『提供人們資訊』，而非被人們判斷。

首先她對著一面鏡子演講，錄音機就擺在一旁——她的焦慮出乎意料之外的低。接下來她鼓起勇氣，告訴幾位朋友她的計劃，他們很熱心地同意充當她的觀衆。當她在練習演講時，她感到有點喘不過氣來。她於是提醒自己把注意力放在說故事上面，結果喘不過氣的感覺消失了。之後，她請朋友們給她一些建議，她的朋友報告說，他們發現她的演講很有趣，不過她說話的速度應該慢一些，這樣他們才跟得上她的想法。

克樂怡了解，她之所以喘不過氣來，是因爲她趕著要結束她的演講。她將朋友們的勸告吸收成新的處理反應：『如果我能夠慢慢來，人們將會欣賞我的演說。』以及『我有一些有意思的主意要表達。』當她下一回在幾位朋友面前練習時，她試著在每個重點之後停頓，默想一下處理反應，然後再繼續說下去。如此一來，除了信心增大之外，她自然也能夠慢下來。

## 信心逐步恢復

她的下一個目標是在教堂對著一小群人做同樣的演講。因爲觀衆的人數較多，克樂怡變得比較緊張，但她也由於她最近所獲得的經驗而變得更有信心。結果該報告一樣做得很成功，克樂怡試著把她新建立的演講信心帶入日常活動當中，定下迷你目標來督促自己在工作會議上以及任何她可以發言的地方，開口說話。

漸漸地，克樂怡開始覺得自己有能力參加大學的課程。然而由於她仍然對上大學感到憂心，因此她繼續使用自助計劃來幫她度過打電話給註冊組或參加面試等等的難關。她在自助記錄紙上記下星期目標，還有要打電話給誰以及何時打的筆記。在完成一個目標之後，她會立即寫下下一星期的目標，把下一個步驟放在心上。

克樂怡得以在離三十一歲生日還很久的時候，註冊了她的第一堂課。儘管她對做課堂報告還是有些畏懼，她此時已經決定兵來將擋，水來土淹。她結束了她每個月的治療活動。

六個月後在一次追蹤治療裡，克樂怡報告說，她仍然在課業和克服恐懼這兩方面有所進展。當時兩個月前，她經歷了一個小挫折，有一個學生批評她在課堂上的發言，導致她的回應失控。由於她擔心焦慮的復發，以及警覺到自己甚至在考慮打退堂鼓，克樂怡趕緊抽出她的自助手冊，提醒自己，一個小錯誤並不意味著她已經完蛋，於是又開始定下每星期的小目標。她再度在一些朋友的面前練習演講，不過這一次她要求他們以尖銳的評語和困難的問題挑戰她。在強化自己一陣子之後，克樂怡又返回通向目標的正軌上。

## 祈禱的治療

每隔一陣子，我們就會聽說有人完全依靠自己的力量，克服社交焦慮問題。三十五歲的伊森是一位成功的副董事長，他曾經被一種特殊的恐懼困擾著。根據他的家庭的宗教習俗，每個星期五晚上在他太太點燃猶太教安息日的蠟燭之後，伊森就會朗誦一段簡短的禱告詞。由於伊森經常對他的董事會做高層報告，要不然就是公開演講經濟事務等主題，因此他很訝異的發現，自己竟然會極度擔心無法把星期五晚上的禱文唸好。他暗忖，爲什麼他會在他太太、他太太的爸媽，以及他自己的孩子面前，變得如此焦慮呢？

在省思許久之後，伊森所下的結論是，他的恐懼可能來自於他在這個特殊場合中，把過高的期望放在自己身上。他知道他的家人都非常的看重他：他不僅是個有愛心的父親和配偶，而且還是家人依賴的經濟支柱。但他也知道他跟平凡人一樣脆弱。他擔心他的家人會留意到他的某個缺點……因而導致他們對他失去信心。

有了這個體會之後，某個星期五晚上的禱告儀式之前，伊森決定把自己的恐懼揭露給他的家人知道：『我想要告訴你們一件聽起來也許很荒謬的事情，不過它對我非常的重要……。我有時候會擔心我的某個缺點會令你們失望。擔心你們可能會發現我也有人性脆弱的一面……』來自他的家人的反應，非常的感人。他們一個一個走向他，給他一個深深的擁抱。他那十四歲大的兒子總結了他們大家的感情：『我們一直知道你只是個人，爹地，而人都會犯錯。無論如何我們很愛你！』

伊森報告說，那天晚上之後，當他在朗誦禱文時，他再也不會緊張：『我記起了我兒子的話，我覺得很窩心。』在未曾閱讀任何自助手冊的情況下，伊森認出了一個似乎是他焦慮根源的負面自發想法——說錯禱文裡的一個字，可會使他的家人對他失去信心。雖然他立即了解他的恐懼毫無事實根據，但他還是未能把它抹滅掉。因此伊森選擇把非理性的恐懼攤在安息日的桌上——他大聲將它說出來。結果他的家人以他難以忘懷的方式，解除了他的恐懼。阿們！

# 撫養害羞兒童

那些能夠依據孩子的本性，來調整他們的養育方式的父母親，是明智的。

——布萊德斯特律，一六一二—一六七二

如今為人父母並不容易。我們擔心如此之多可能會發生在我們孩子身上的災禍：意外事故、綁架、虐待，以及毒癮等等。比較起來，過度害羞的問題似乎微不足道，有點像是前線士兵的抽煙習慣。然而社交焦慮往往是惡性的。研究顯示，社交恐懼會干擾到社交技巧及友誼的發展，導致低度的自尊。焦慮的孩童比較不快樂，比較不受到同儕的喜歡，而約會恐懼有可能影響青少年往後建立長期人際關係的能力。一個追蹤一群小孩進入成年的研究發現，極度的害羞不僅會延遲找到以及維持婚姻伴侶的時機，而且還會造成找到以及維持一份工作的問題。

雖然父母無法保護他們的孩子免於每一個可能的災禍，父母卻能夠對害羞問題有所幫助。作為孩子們的第一且最重要的社交夥伴，父母保有獨特的位置來教導兒女處理以及克服害羞問題。往往，藉由輕度的調整他們的養育方式，父母親便能夠促進兒童自尊心以及社交技巧的發展，好讓他們茁壯於一個無處不社交的世界當中。

## 普遍與不普遍的社交恐懼

有些社交恐懼是成長必經的過程。對陌生人的恐懼，乃是一個發生於大部分六到十五個月大的孩童身上的發展過程。儘管這些恐懼不應該拿來與社交焦慮問題混淆在一塊，對一些小孩子而言，恐懼在正常的『陌生人焦慮』階段之後，仍會持續下去，變成一個不可小覷的困擾。

在這些小孩之中，大部分似乎一生來就比較害羞，他們遺傳了一個害羞的個性或性情。對這些害羞小孩所佔比例的估計，會隨著年齡截止點的使用而有所不同，不過大約百分之十五的比例普遍爲大家所引用。在『生物學根據』一章中，我們所討論的證據顯示，害羞或壓抑的性情，可能反映出容易被陌生場合或人物啓動的神經系統的遺傳傾向。然而，即使害羞具有明顯的遺傳或生理要素，它仍舊會受到撫養方式的左右。

在追蹤數千個嬰兒進入成年的劃時代研究中，夫婦精神病學家史黛拉・切斯與亞歷山大・湯姆士，描述了一些具有『難相處』性情模式的嬰兒，該模式包括對不熟悉事物的負面反應。除了在社交場合中哭泣或容易害羞之外，『熱身太慢』的嬰兒可能對一般陌生的事物都會有所排斥——譬如，對新食物的拒絕。稍後，到了五或六歲時，同一個小孩可能會在操場上羞怯的避開其他孩童，尤其是如果小孩的父母親未能主動鼓勵他或她參加團體遊戲。到了這個孩子十歲的時候，社交經驗的缺乏，有可能進一步使他的社交焦慮惡化。

## 父母如何影響害羞的小孩

一出生就容易害羞的孩子，對父母構成了頗大的挑戰。父母親的一個自然反應是，保護他們的孩子。當一位母親看到她的小孩在面對侵略性較強的玩伴時手足無措，她可能試著以自身來面對該玩伴，或是限制孩子造訪操場的次數，以此來『保護』她的小孩。另一個普遍的反應，特別是當小孩的年紀變大時，也許是批評孩子的害羞，堅持他或她參加社交活動。雖然父母親的這些反應可以令人理解，但倘若能夠結合情感上的支持與社交活動的暴露這兩方面，熱身太慢的嬰兒所遇到的障礙可能會比較小。稍後在這一章中，我們將介紹一些明確的方法，以提供父母幫助他們的孩子。

一個害羞的小孩往往至少會有一個也容易害羞或是有社交焦慮問題的父母。許多這樣的父母擔心，他們的孩子將會從他們身上學到社交恐懼，而他們的擔心並非空穴來風。孩子們對他們的父母對人們的反應，極爲敏感，而且他們也會使用同樣的方法來處理自己的恐懼。倘若一個媽媽帶著她的小孩到當地青年會的幼兒池學游泳時，會懼怕和其他小孩的父母碰頭，那麼她有可能把她的焦慮傳染給她的小孩。接著這個小孩懷著高度的不安全感加入游泳課程。如此，父母和子女互相強化對方的緊張：孩子看起來怯生生，父母便會以擔心來回應孩子的恐懼，惡性循環的結果製造出新的社交恐懼。

在另一方面，從前會害羞的父母的生活經驗，可能會讓他們既能夠對兒女的處境感同身受，又可以認出幫助兒女對抗恐懼的重要性。害羞的父母往往能夠第一手了解『避免過度保護行為』的需要，以免造成兒女過度的依賴。一位第一次帶她的小孩去參加夏令營的媽媽表白說，『要把她留在那裡，非常的困難……。我不斷的在想，要是我在她這個年紀，我將會多麼的緊張，感覺到好像沒人想要跟我說話或做朋友。不過我也記起，一直要等到我媽停止嘗試保護我之後，我才開始克服我的恐懼。當她不在我身邊時，獨自一人面對恐懼是很痛苦的經驗，不過我還是度過來了。我告訴女兒，當我跟她一樣大時，與陌生人碰面是很嚇人的事情，然而我知道一個可以供她使用的秘訣。如果她友善地表現出對別人有興趣，那麼該喜歡她的人就會喜歡上她，她將能交到一些新朋友。』

自己有社交恐懼問題的父母，在觀察他們的兒女對抗羞怯時，可能會發現他們自己釋放出一些痛苦的回憶。在這樣的狀況下，父母親最好要理性一點。與孩子的不安做太密切的認同，將導致父母過度的保護，然而結果卻使得孩子更加誤信，社交場合非常的危險，並且否決了孩子學習社交技巧不可或缺的機會。

與社交焦慮奮戰的年紀較大的兒童與青春期的孩子，也許會認出父母的過度擔心是沒有幫助的，因而尋找社交方面比較大膽的個人當作他們學習的對象。尤其是青春期男孩，他們會很努力地避免被貼上『媽媽的男孩』這張標籤。另一方面，女孩們比較不需要避免被看成太依賴父母，她們比較不會為了宣稱自己的獨立而走上極端。害羞的孩童在努力邁向獨立時，應該受到鼓勵。有時候，最好的幫忙方式就是提供較少的幫忙。

一些本身沒有害羞問題的父母，可能在教導孩子良好的社交行為的同時，無意中帶出孩子的社交焦慮。這些父母會警告兒女，避免做出導致他人反感的行為：『到了塔沙阿姨家，吃飯時不要玩弄你的食物，否則她會認爲你還是個長不大的嬰兒，』『不要跟女孩子玩在一塊，要不然人家會說你是個娘娘腔，』等等。

經常受到這些『羞恥』策略轟炸的孩子，可能會學會如何『舉止』，不過他們也會學到，社交遭遇與雷區一樣危險。對羞恥或困窘的懼怕，替代了與別人愉快相處的希望，成爲他們的行爲表現的最大動機。另一個造成不良後果的策略是，對逃避社交場合的孩童給予嚴厲的處罰。研究顯示，各方面經常受到父母處罰的男孩，在交朋友以及維持友誼上，會有更多的問題產生。

有一種不同形式的父母——兒女錯誤溝通不良的型態是比較不明顯的，不過也可能帶來同樣嚴重的困擾。當五歲大的湯姆在一大群陌生的親戚面前嚎啕大哭時，他的母親並沒有承認他的恐懼，她告訴他：『你一點都不怕。史密斯家的人總是喜愛跟人們在一起。』湯姆於是得到令他困惑的訊息：不是他正經歷到某種非恐懼的感受，就是他不是史密斯家族的一份子。而且因爲湯姆當然想要繼續作爲史密斯家族的一員，所以他學會否認自己的恐懼，並且與自己的感受失去聯繫——包括他對他母親的憤怒，因爲她排斥他充滿恐懼的一部分。

在這裡，這個媽媽做了一個好意但錯誤的努力，她嘗試替湯姆做情緒上的家庭作業。學習辨認感受，乃是孩童處理它們的第一個步驟，是發展熟練與自信過程的一個正常部分。如果湯姆得知他害羞的感受不爲他的家庭所接受，那麼這堂課將會損傷他發展中的自尊，而且他的自尊也許早就比別人低一些了。

承認小孩的感受則會有相反的效果。要是他的母親是這樣說，『你在這些人面前是不是感到害怕？剛開始當你看見一大堆新面孔時，可能會被嚇到，不過找個朋友跟你玩，你就會好過一些。讓我們去找你的表哥菲爾玩，他有趣極了。』首先，湯姆會學到，即使是不安的情緒，他的父母都能夠接受，不會讓他遭到拒絕或警告。同時他也學到他的感受有一個標籤，叫做『害怕』，這將能夠幫他處理情緒問題。最後，他的母親會介紹一個湯姆最終將能自己應用的建設性方法來對抗這種感受。

## 如何辨識有問題的害羞特質

不過父母如何知道正常的社交過程已經偏離正軌？從小孩身上的哪些行為可以看出，溫和的羞怯或害羞的傾向已經失去控制，進入麻煩的領域呢？譬如，我們知道，二或三歲的小孩喜歡黏著媽媽是正常的，但同樣的行為發生在五、六，或七歲就不正常了。十一、十二，或十三歲的孩童自然會因為身體的外表起了變化而感到難為情，但假使他們因此而拒絕為體育課更換衣服，那他們的問題就大了。

儘管『正常的』社交焦慮與過度社交焦慮之間的界線往往不太明顯，一般來說，正常的恐懼傾向於是暫時性的，而且只造成小孩輕微的困擾。恐懼持續得越久，該關心的程度就要越大。會干擾孩童在學校或社交活動中運作的恐懼，也是意味著一個大問題。許多樂觀的父母傾向於以為，他們的小孩長大後自然就不會有社交焦慮問題。大約有一半的害羞、膽小的幼兒到了八歲這個年紀，將能克服他們的恐懼，所以他們表現出正常的社交能力及感情的自發性，不過另外一半則將會繼續擁有嚴重的害羞問題。

由於嚴重的害羞會伴隨著長期的風險，所以我們寧願小題大作，做出額外的努力來幫孩童對付甚至是輕微的恐懼。以下的徵兆意味著父母需要進一步的注意，以及撫養策略的改變將會有所幫助。

## 過度害羞的普遍徵兆

(1)孩子總是容易受到陌生人的驚嚇
(2)孩子在公共場所喜歡黏著父母，像是雜貨店或別人家裡
(3)孩子拒絕說話，特別是在學校裡
(4)孩子經常以生病爲藉口，不去學校上課
(5)孩子拒絕上學
(6)孩子的朋友很少，或是一個也沒有
(7)孩子蹺體育課或是忘記帶體育服，以避免在同學面前換衣服
(8)孩子有一大半的時間待在房間裡獨處
(9)孩子沒有約會，而且不參加團體活動
(10)孩子沉溺於單人的『電子』活動中，像是任天堂、電視、電腦遊戲等
(11)孩子在考試時，變得非常焦慮
(12)孩子害怕在課堂上發言

**典型年級**

學前（三—五歲）
學前到三年級
特別是學前到四年級
特別是幼稚園到四年級
幼稚園到八年級
所有年級
六到八年級
特別是六到十二年級
高中
五到十二年級
所有年級

當然，光光一個徵兆並不代表你的孩子有了麻煩，而且害羞也不是以上所列徵兆的唯一解釋。例如，孩子拒絕上學可能是因爲被別的同學欺負或是不喜歡某個老師，而非肇因於社交恐懼症。

當父母發現到一個可能的警告徵兆時，第一個步驟是，試著確認該問題的本質到底是社交焦慮還是其他事情。如果是年齡較小的孩童，這可能意味著，父母必須更加注意他或她跟其他同儕相處的情況。另外，也可以弄清楚是不是有老師或玩伴的父母留意到任何的問題，像是迴避團體活動或遊戲的傾向。

## 不願開口說話的小孩

有少數的孩童會表現出極端的迴避行爲，他們從未在家裡以外的某些場合中開口說話——譬如，在學校一言不語。這個最近被稱爲『選擇性不語症』的情況，在女孩身上比較普遍，通常開始於童年早期，持續的時間有的短暫，有的一直到十來歲爲止。選擇性不語症通常在孩童開始上學之後，才被認出來是個問題，它使得老師和父母感到事情不對勁。

選擇性不語症一直很難研究及解釋，原因是這些小孩也往往拒絕跟治療師交談。曾經有人以爲，這些孩童大部分一定曾經遭受嚴重的創傷或家庭問題。然而最近的研究——建基於對父母和老師的訪談（以及來自於願意以點頭或搖頭回應的孩童的『是』或『不是』答案）——顯示出該症狀與社交焦慮有很大的關聯。當這些小孩說話時，他們有時候會報告說，他們的聲音聽起來很滑稽以及他們不喜歡別人聽到他們的聲音。

有關哪些療法最有效的資訊，很有限。一些研究顯示，認知—行爲療法有正面的效果，包括漸漸暴露於困難的說話場合中，再加上對逐步增加的說話量的讚美與鼓勵。也有專家提出，Prozac等抗憂鬱藥物和其他藥物有某種程度的成功。

問你的孩子他的感受或是他爲何會有這些行爲，當然值得一試，不過由於各種因素，這個方法有可能行不通。大部分的六歲孩童無法清楚地界定『困窘』，雖然到了八歲時，他們通常已經發展出把情緒化爲語言的能力。十來歲的孩子有字彙可以描述他們的社交焦慮，不過他們可能會因爲太沒有安全感，以至於不想對父母親承認這些情緒。不管焦慮有無被討論到，任何撫養方式不可或缺的一個構成要素乃是，試著爲孩子設身處地的著想。在觀察以及收集資訊之後，父母可以試試一些新方法，看看管不管用。

## 如何伸出援手？

那麼父母應該如何對待容易害羞的孩子呢？如一位同事所說的，『父母需要力行中庸之道。』走在極端之間的中線上，是很重要的，極端的行動像是逼迫孩子跟別人一起玩（就好像孩子的玩耍是可以被強迫出來的），以及藉由使孩子迴避每一場不舒服的遭遇來庇護孩子。父母所面對的挑戰乃是，在沒有把孩子逼迫得不愉快的前提之下，找出一個方法來幫孩子逐漸增加社交活動與能力。

幫孩子對付羞怯的一些觀念，基本上與幫成人的觀念差不多。本書前面篇章已提供一個能夠完成特定目標的一步一步法。父母可以使用相同的管道來計劃指導小孩對付害羞的方式。當然，使用該法協助孩童，需要一些特殊的考量，我們將在以下討論到。

對年紀較輕的孩童而言（十二歲以下），因爲這些小孩的思考恐懼的抽象能力，尙在發展當中，因此父母需要把重點放在改變社交行爲上面，而非嘗試左右其充滿恐懼的想法。孩子的恐懼想法的改善，自然將會隨後到來。由於孩童無法從面對恐懼場合時所產生的短期焦慮上，看到長期的利益，父母最好能主動爲孩子提供動機。父母能夠鼓勵孩童的一個方法是，獎勵孩子在社交計劃中所達成的小成就。譬如，小孩子可以在完成星期目標之後，在『星圖』上收到一張貼紙作爲獎賞，等貼紙累積到一定數量，就能獲得小獎品或是某些特權。如此，社交練習可以被轉變成較受歡迎的遊戲。

## 一步一步法

父母應該從『設定合理的目標』著手。懼怕在同學面前做『上台和說話』的七歲女孩，不應該被期待表現得如此之好，以至於能獲得演出《安妮》這齣劇的女主角的機會。她也不該被允許在『上台和說話』課程當天，不去上學。父母對上台和說話恐懼的協助策略，可以由以下的步驟所構成：

(1)定下一個目標。(『我想，要是妳能告訴妳的同學有關妳的計劃的三樣有趣的事情，妳將會喜歡上妳的上台和說話課。』)

(2)協助你的孩子準備。(你當觀衆，讓你的孩子對著你預演。)

(3)給孩子的報告一些正面的批評，且表現出你對孩子的能力很有信心。(你的確報告得很精采！』『我早知道你辦得到……就像你上個星期在課堂上講了一個故事。』)

(4)避免把孩子的上台報告看得太重要。

(5)在報告結束後，簡短地檢視一下它進行得如何。(你有沒有談到你的規劃？)

(6)稱讚任何接近目標的行爲。(你能夠站在台上，對著全班同學說話。)

在擬定目標之前，先要認出你的孩子已經能夠做的事情，像是能夠告訴她的朋友她的規劃。在選擇目標時，挑選你的小孩有可能完成的行爲(在這裡是談她的規劃的幾件事情)。

目的是要確保成功，以建立信心，而非嘗試大力提升社交能力。還有，在擬定目標時，避免試著控制無法控制的情緒，像是緊張。譬如，不要設下這樣的目標：『我會毫不緊張的做我的上台和說話』或是『報告時我的感受會很棒』。把重點放在孩子所需要做的事情，而非她應該如何感受。好感受自然會跟在成功後面出現。

有所準備也是很重要。孩子會想要逃避使他們感到焦慮的練習行爲。父母必須一肩挑起讓預演發生的責任。（『將你的拼字本帶來，我們好練習拼字比賽』或是『把你的上台和說話課本拿來，我們可以練習你的演講』。）父母和孩子可以輪流扮演講者和觀衆成員的角色。這使得父母能夠『示範』某些孩子的劇目中原本缺乏的行爲（像是說話清晰或是與觀衆成員做目光接觸）。父母應該提供強調孩子做得不錯的回應。（『你的第一部分做得很好。現在再試一下第二部分。讓我們替你的規劃多想一些事情來說。』）

一旦你完成目標的設定、預演一次，以及提供正面的回應之後，最好避免過度強調即將來臨的事件的重要性。藉由把重點放在充分的準備，但不要太重視即將到來的表演，父母等於是告訴了孩子，眞正重要的事情已經發生了：『這件事你已經準備妥當，目前可以把它暫時放在一邊。』一心在意著事情哪邊可能出錯，將產生反效果，而且只會引發更多的恐懼及焦慮。相反的，應該簡短地檢視處理計劃，或是開始從事其他活動。

同樣的道理，事件結束之後，父母應該試著以輕鬆的態度處理它。先不經心地來一句『今天進行得如何？』然後再簡短地提起原始目標。孩童（和大人）通常會忘掉原來的目標，所談到的都是他們在該事件中的感受。『我很緊張』的後面應該跟隨著父母的這個回應：『一定會的，不過你的目標如何？你記得，你的目標是要告訴班上同學那三件事情。』孩子的反應——『對了，我猜我有達成目標』——應該接著父母正面的評語：『太棒了。我知道會很難，但是我也知道你能完成它。』

## 有效率的使用獎賞

在眞實生活中，社交收穫的機會會很迅速的冒出來，使得你沒有多少時間計劃或走過以上所提到的基本步驟。即使是如此，成功的關鍵乃是，集中注意力在孩子的良好表現上面。如任何一個優秀的國小老師都會知道的，『抓到我在做好事』是培養小孩良好行爲的指導原則。當你的孩子嘗試在操場上接近其他孩童、邀請其他孩童到你們家，或是登記參加課外活動之後，你可以給予獎勵。最好使用正面的言詞（『你邀請席拉參加派對的技巧眞好』）或是具體的獎賞，像是跟爸爸或媽媽一起享用牛奶餅干。

剛開始，當你試著爲孩子培養一個像是在操場上接近其他小孩的新行爲時，最好能夠在每次她或他從這樣的嘗試回來之後，都能給予讚美或獎賞。在這個『持續強化』階段中，稱讚或獎勵應該立刻被誠摯地放送。讚美離行爲的時間越短，它的效果也就越大。一旦接近其他孩童成爲孩子社交劇目的正常部分之後，你就可以把你的正面注意的放送，轉變成比較間歇的方式。三不五時，說出你的口頭稱讚或給予具體的獎品，並不需要每一次都做。這樣的間歇性獎勵特別有效，而且有助於培養新的社交行爲。

一旦你發現，你的孩子經常接近其他孩童，而且正在經歷享受玩耍的自然強化作用，你就可以決定把注意力移向另一個重要的行爲。現在你也許可以挑選一個言語上的行爲目標，像是對其他孩童說些得體的話。兒童心理學研究已經顯示出成功與不成功的孩童，在操場上的不同點。成功的孩童會問問題（『我能加入嗎？』或是『你們在玩什麼遊戲？』），而不成功的孩童則是說些肯定句（『我知道怎麼玩』或是『我也要玩』）。父母可以藉由教導如何運用有效的問題做爲開始，以及接著如何強化會導致正面經驗的談話，來協助孩子。

在決定要培養小孩子的哪些行爲時，一件必須放在心上的事情是『從小地方開始』。留意你的小孩偶爾已經能做的事情，將此一步驟建基於他或她的優點上。因此，倘若你的小孩從不跟大人說話，但有時候會抬頭看著他們，你便可以選擇當他們與大人做更久的目光接觸時，適當地獎賞他們……或只是獎勵他們在大人的附近待著。培養一種新行爲就好像是在捏一個黏土人物……剛開始時，它一點也不像最後的產品。但你逐漸地捏揉它，於是它開始看起來有點像是你想要製造的東西。

當然，你選擇要培養的行爲，應該適合你的小孩和他的年齡。我們認識的一個媽媽，由於不小心曲解了《窈窕淑女》這部電影的寓意，因此教她那八歲大的兒子獻慇懃的藝術，要他爲女同學開門以及走在女孩與街道的中間。她兒子認出這些行爲與自己無關，於是很直接地拒絕合作。

以下是一些父母如何接近他們的孩子的獨特場合以及促使他們學習這些技巧的例子。

## 安排但不要強迫

一個極端害羞的五歲女童的媽媽最近曾告訴我們，『我從不強迫艾密莉開口說話或玩耍……因爲當我媽媽這樣對我時，當時很容易害羞的我，非常討厭她這樣做。』她眞正採取的行動是，不斷爲她女兒安排社交暴露的機會。在週末，她會帶著艾密莉一起做銷售拜訪，好讓她習慣於跟其他大人碰面。她帶著艾密莉到遊戲場上（不過沒有逼她跟其他小孩一起玩）。夏天時，她常常帶她到海水浴場或是去圖書館參加團體說故事活動。總之，她同時鼓勵社交活動、自然切斷逃避路線（在這些地方，很難不跟別的小孩發生互動），以及尊重她女兒有時候想要黏著她或是自己玩耍的意願。

這位媽媽通常會發現，艾密莉一開始是退縮不前的，但最後就變得對別人所做的事情發生興趣。她會開始在別人的『邊邊玩起來』，最後便直接被『帶入』其他孩童的遊戲活動當中。她媽媽說，『艾密莉有一個與衆不同的社交節奏……參加社交活動時，她需要更多的時間來做暖身運動。』採用這個方法意味著接受以下這個事實：你的孩子有時候會暖不起身來，而且會選擇避免與別人接觸——不過這沒有關係！

想知道到底是該催促孩子還是替他安排機會的一個方法是，藉由檢視你自己的結果記錄。以鼓勵的話稍稍催促有沒有效，還是會造成孩子的抵抗或纏黏？催促不成時，父母們往往傾向於催促得更厲害。這個做法通常會爲父母和子女帶來悲慘的後果：孩子會蹲下來，不斷的反抗；父母則是哄騙、懇求，最後則變成大吼大叫。這個『痛苦的循環』所帶給我們的教訓很清楚：停止催促，換成非高壓手段的安排。

有些父母告訴我們，要讓孩子踏出第一步時，催促一直是很有效的策略。當杰西還是個小孩時，他的爸媽就會催促他參加各類的社交活動，從課後運動到團體音樂課以及學校軍樂隊都有。他剛開始都會哀鳴一陣子，試著找一些不去的理由，不過一旦他眞的加入時，他最後都覺得很有趣……所以他的爸媽繼續催促他。杰西現在已經是個醫學院的學生，他說當他在打電話或造訪教授的辦公室時，他仍然會感到不自在：『就好像我小時候的情形……不過一旦投入該場合之後，事情都會進行得頗為順利……。以前跟現在唯一的不同點是，長大成人的我，必須自己催促自己。』

## 安排與強化：『梅利莎上圖書館』

瑪麗琳的五歲大女兒是如此的容易害羞，以至於每當她帶她到公共場合時，她都會覺得很有罪惡感。每當梅利莎需要跟成人或小孩打招呼時，她就會露出痛苦的表情。有一天，一個鄰居鼓勵瑪麗琳帶著梅利莎到當地的圖書館去參加說故事節目，這個鄰居也有一個同年齡的女兒。雖然瑪麗琳知道，梅利莎在加入一大群的陌生人時，有可能變得焦慮不安，但她也了解，將梅利莎帶出家中，進入友善、低調的場合與別人見面，是很重要的事情。

當瑪麗琳向女兒提到星期六早上造訪圖書館的計劃時，她故意『渲染』這個活動，聲稱她們將會聽到『帥呆了的故事』，之後她們還會跟鄰居一塊去吃冰淇淋。當梅利莎開始輕微的抱怨時，瑪麗琳告訴她，她不用跟任何人玩，她的目標只是單純的坐在位子上，至少聽完一個故事就好了。在前往圖書館的前一個小時中，梅利莎三不五時的哀鳴著：『我們一定要去嗎？』或是『我會錯過電視上的木偶寶貝。』她媽媽告訴梅利莎她會回應她的談話，但不會回應她的哀鳴。瑪麗琳故意忽視哀鳴，只留意女兒以更合適的語調所說出來的任何話。

在圖書館的說故事時間裡，梅利莎一會兒纏著媽媽，一會兒坐在前頭，跟別的小孩一塊聽故事。瑪麗琳曾經告訴女兒，如果她能坐在前頭，她就會把故事聽得更清楚，會覺得更好玩。之後，瑪麗琳故意忽視女兒的黏纏，但並沒有想要把她推開或是強迫她到前面跟別人坐在一起。媽媽的行爲所傳達的訊息很清楚：『如果妳要，妳可以躲在我的後面，不過要是妳跑來纏著我，我不會用深情呵護妳。』梅利莎很快的發現，社交好處並不在媽媽的身邊，而是存在於前頭與其他孩童的相處。

整體來說，瑪麗琳發現這個策略很有用。她利用免費或低花費的兒童活動（像是生日派對以及當地兒童博物館或圖書館的活動），不過她從未催促她的孩子與別人發生互動。在此同時，她以稱讚及注意力來獎勵她想要在梅利莎身上所看到的表現，而且她傾向於故意忽視她不想看到的行爲。

對不想要的行爲的忽視策略，並不算是一種懲罰，所以不該被生氣的執行。相反的，忽視是一種『拖延戰術』，等於是在告訴小孩，在目前的狀況下，他不會獲得稱讚及獎勵，不過一旦有更好的行爲發生，稱讚及獎勵也會跟著出現。雖然父母可以在一開始的時候就說明這個政策，但是以行爲徹底貫徹才是最重要的事情。倘若孩子遭遇到挫折或甚至對這種作法大發脾氣，那麼尤其重要的是，父母必須堅持下去，直到孩子移轉到較被接受的行爲爲止。時機未成熟就改變策略而給予更多的注意力，將會產生不良的後果，促進哀鳴及黏纏等不良的行爲。

## 嘮叨的告誡

所有年齡的害羞孩童，就跟行爲不良的孩童一樣，會不斷的被父母催促，或是被告知應該怎麼做：『去跟安迪亞一起玩，』『你應該踏出你的房間，』『你應該到外頭去跟別人相處。』父母以口頭的方式每天指導這些孩童有數百次之多——即使這樣子沒有效！當然，當父母看到他們的小孩正在錯失精采的社交活動時，他們自然會產生挫折感。不幸的是，挫折感往往無法導致問題有效的解決。相反的，當策略發生不了作用時，我們往往會以爲，假使我們再逼得緊一點，也許就會有效……這個嘛，想像一下假若有人每天好幾百次告訴你應該怎麼做。過一陣子之後，這些指示將會失去它們的效力。對小孩子來說，父母不斷嘮叨的這個印象，會蓋過他們所要求的事情。

解決之道很簡單：停止嘮叨。我們建議你採用『二次法則』，它只是簡單的規定，父母在重複指示時，絕對不要超過一次。這是根據『指示只有在人們遵循時才有用』的這個原則所定的。倘若孩子有服從你的督促，趕緊抓住此一機會，以大量的讚賞來回應。要是孩子不遵從，再試一次，不過可以改變你的語言，這次把需要這兩個字放入你的要求中：『我需要你到外面去跟你的表弟打招呼，』或是『你需要向你的赫伯叔叔問好。』如果你的作法能夠一致，需要這兩個字對孩子將會變成一個暗示：這是最後一次的要求。這一次假使不聽從，一定會導致某種小的負面後果，像是某個特權的喪失，提早上床十五分鐘，或是扣除零用錢等等。這個方法雖然嚴格，但很有效。

## 國中以上的恐懼

孩子的社交壓力大約在六年級時，開始急速攀升。男孩和女孩變得比較覺知到性傾向，追求『酷』、『時髦』、『受歡迎』的壓力開始增大。在這個年紀，孩子們開始感覺到父母不了解他們，而這一點他們經常是正確的。父母會說些玩笑話來調侃孩子有了男友或女友。在許多案例中，他們完全忽視了他們的孩子正在經歷社交變化。不過不要誤會，對許多小孩而言，尤其是容易害羞的孩童，這是他們難熬的時刻。

這種時候父母也不好過。他們看著孩子變得更獨立、更疏遠，他們嘗試維持溝通管道的暢通，但往往貼到的是冷屁股。親子之間的疏離再加上青春期的社交焦慮，雙方可以說是都面臨了極大的挑戰。在這個年齡，社交焦慮的孩童可能開始感到無望。他們把自己視爲社交失敗者，而且不喜歡對父母傾吐他們的感受。這種安全感缺乏、疏離，以及社交屈辱的混合，有可能導致憂鬱症，甚至自殺想法的產生。值得注意的一點是，即使不受這些孩子的歡迎，父母還是得堅持維持與孩子的溝通管道。

梅根在六年級以前，一直被看成是個快樂、知足的孩子。她從一年級就開始交往的好朋友娜特莉，在她六年級時開始常常和另一群孩子出去玩，而且未曾嘗試邀梅根加入。梅根不斷試著要重新聯繫上娜特莉，常常打電話給她或是邀她到家裡玩。然而，由於娜特莉已經跟她那一群新朋友的想法一樣，認爲梅根『太土』，因此無視於梅根想要繼續和她做朋友的嘗試。

對於娜特莉和其他孩子的拒絕，梅根覺得很沒面子，她開始把自己孤立在家中。到了七年級時，每當梅根接觸到跟她同年齡的小孩，她就會變得極度的焦慮。她開始經常抱怨身體方面的問題，要求她的父母讓她留在家裡，不去上學。雖然她的父母做了無數的嘗試，想和梅根討論她的問題，她的回應卻總是侷限於生理方面的感受：『我不能去上學，因爲我的喉嚨痛死了！』一直等到梅根去看一位治療師之後，她才得以將自己的痛苦與她擔心被同學拒絕的恐懼連結起來。

使用語言及談話治療的能力，會隨著年齡增長。年紀太小的孩子可能無法了解，用來描述他們的問題或解釋可能的解決之道的語言。他們需要他們的父母認出他們的經驗，並且幫忙把它轉化爲文字。如果父母能夠認出並接受孩子過去所經歷的恐懼，年齡漸增的孩子將會發現，他們比較容易認出新的恐懼，而且比較不會感到羞愧。『攤在桌面上的』恐懼，變得比較容易處理多了。

有社交焦慮經驗的青少年往往會覺知到恐懼。這個年紀的孩子的行爲，越來越不受到父母親的『安排』。幸運的是，青春期孩子反映出焦慮想法的能力，也會帶出學習處理社交技巧的更複雜能力。

父母親可以幫忙青春期孩子使用我們在前面『做自己的治療師』所提到的同一種認知

—行為自助法。跟成人一樣，青少年的行為改變計劃，可以由自我談話所支持及強化。父母可以幫忙教導這個觀念：恐懼的想法並非事實。相反的，恐懼其實是一個可以被分析及質疑的主意或理論。我們可以用支持性的方式來挑戰它：『萬一你搞砸你的演講，將會發生什麼事情？還有，眞正最糟的情況會是什麼？你所擔心的大家都會離開觀衆席的機率有多大？你自己會不會因為演講者看起來很緊張，就拂袖而去？會不會有人只因為你敢上台演講，就很佩服你？』

透過此一過程，你的孩子可以學習認出，充滿恐懼的想法是誇大不實的，如果能以更切合實際的角度來看待該狀況，那麼它就會變得比較容易處理。嚇人的『我會搞砸演講，大家都將把我看成混球』變成了『我會傳達出我的主意，我在乎的人將會因為我的嘗試而尊重我』。倘若你的十來歲孩子願意討論像是對約會的恐懼，那麼簡短的追蹤恐懼的想法，可能會有所幫助：

孩子：舞會就在下個禮拜？……我不認為我會想去。

媽媽：（輕鬆的質疑）哦？

孩子：我有想過邀請史蒂芬妮……不過我想她不會答應做我的舞伴。

媽媽：你很肯定她不會嗎？

孩子：這個嘛，不肯定……我猜她可能答應……不過也可能不答應。

媽媽：那麼萬一她不答應，怎麼辦？你有辦法處理嗎？

孩子：我很可能成為全校的笑柄。

媽媽：每個人都會嘲笑你嗎？你是說大家都會有男女朋友陪伴參加舞會？

孩子：有的人沒有，我猜……。凱文和凱爾不會參加……也許我們可以舉辦另一場舞給呆瓜參加！

媽媽：（以開玩笑的口吻）我可以提供計算機和筆筒！

這位媽媽並沒有直接指出孩子的恐懼是多餘的，她藉由問問題來幫孩子自己下出理性的結論。在這種情況中，父母可以採取各種管道來追蹤恐懼以及提供另類想法（『要是你沒有開口邀請史蒂芬妮，而結果顯示她其實很想跟你去，那麼你有何感想？』或是『假使史蒂芬妮拒絕你的提議，有沒有其他女孩你可以邀請的？』）。往往，如果你能追蹤一個你的孩子所懼怕的災難性想法，他或她將至少了解到，後果並不是那麼的嚴重，而且即使最糟的情節發生，像是被拒絕一塊參加舞會，也是有辦法解決的。

## 超談話：談『談話』

雖然父母與孩子一起討論他們所留意到的問題，是很重要的，但較敏感的孩子可能會對父母追蹤社交焦慮的嘗試加以抗拒。身爲父母，你最初的衝動也許是走開，以避免干涉得太多，不過另一個可行的策略則是藉由『談談是否來段交談』，來迂迴地接近該主題。父母可以問道：『如果我們談一下學校的舞會，不知道你感覺如何？』而不是直接地打聽舞會的事情。與你的孩子這樣談話，似乎有點奇怪，但假使另一條途徑只是沉默，那麼你就沒什麼好損失的。十來歲孩子的回應可能是，談這件事會讓他很尷尬，過了一會兒之後，他卻可能開始更直接地談論它。以這樣的方式，父母小心地從外移向內。

『超談話』允許父母藉由承認某個主題很難討論，來與孩子進入一段會話當中。問一個孩子『跟你的老爸談性，你想會是什麼樣子？』，與說道『我想問你有關你目前的性活動情形，』相當不同。同樣的，『如果讓你參加課後的戲劇社，你感覺如何？』與較具威脅性的『要是你眞的想交新朋友，你就非得參加這個社團不可』是很不一樣的說法，而且能夠逐漸的爲眞正想談的主題埋下伏筆。

有一位父親懷疑他的兒子由於缺乏一個女朋友陪他參加校友會競賽，因此變得沮喪而畏縮。他擔心，如果他直接問他兒子這件事情，將會讓兒子感到難堪。在此同時，他感覺到，他兒子需要有人跟他談談他的失望。他們的『超談話』是這樣進行的：

父親：（在客廳的沙發上，隨意的坐在十七歲兒子的身邊）最近怎麼樣啊，丹尼？

孩子：（低著頭）什麼？

父親：你好像不怎麼高興……。我不知道你最近好不好。

孩子：還不錯。

父親：唔，那很好……我有點擔心。如果我問你近來有什麼事情在困擾你，你覺得可以嗎？還是跟你的爹地談這件事，你會感到不自在？

孩子：（半笑）也許會有一點。

父親：會比我們幾個月前所談的那件事更不自在嗎？

孩子：不會，那一次其實沒什麼。

一直到這個時候，父子對談的焦點都集中在『來段不尋常主題的會話』上面。即使雙方都未曾直接提到，父親以緩慢但有效率的方式，把話題逐漸帶入他兒子的問題裡。父親驚訝的發現，竟然是他的兒子率先提出該話題：

孩子：這一次也不算什麼，爹地……。我先前只是在打算，看看科萊兒能不能陪我一起參加校友會的競賽活動。

父親：哦……結果呢？

孩子：沒結果……我很確定她要跟別人一塊去。

父親：噢，這眞糟糕……你確定嗎？

藉由一方面尊重他兒子的隱私權，另一方面問說提出困難的話題不知道孩子介不介意，這個父親已經成功地將他的兒子帶入一個有關該問題的會話裡。雖然爲談論兒子的失望做準備，也許不能解決他對邀請某人參加競賽的恐懼，但至少能透過刺激出積極的問題解決，來打開協助的管道。藉由問兒子『你確定「科萊兒不會陪你參加競賽」嗎？』這個問題，他的父親至少引介了『質疑焦慮想法的正確性』的這一個概念。爹地再度對兒子的回答感到驚訝：

孩子：（抬頭）我沒有完全確定……不過她似乎很受大家的歡迎。

父親：如果你邀她參加競賽，你會有什麼感覺？

孩子：我會緊張得要命……她有可能把我看成混球。

父親：我們所談的科萊兒是住在隔壁那一個女孩嗎？我記得自從我們搬到『弗格斯瀑

布』之後，你們倆就變成了很好的朋友。你眞的認爲她會因爲你的邀請而把你看成混球嗎？

孩子：這個嘛，她不太可能認爲我是混球，不過我還是會覺得很尷尬……

父親：要是科萊兒拒絕你，你是不是還有其他人可以邀請？

孩子：有啊，艾美和梅琳達跟我說她們也想去……

父親：（以開玩笑的口吻）天啊，以前你還會找我去看比賽呢……。還記得弗格斯獲得水獺郡冠軍那年嗎？……

在會話結束之前，這個孩子領悟到，即使科萊兒說不，並不是世界末日。他也在精神上得到父親的支持，他等於是在說，『我很高興的知道，萬一我遭遇到失敗，你還是會在我的身旁協助我。』父親本身也收穫不少。他了解到，只要花一點時間以及使用超談話策略，便可以幫他與兒子維持一個極爲重要的溝通管道。不過必須留意的是，爹地仍然需要設法防止兒子透過岔開的話題來截斷嚴肅的交談，這可能肇因於兒子自己的社交焦慮。

最後，有時候會發生的狀況是，儘管父母滿懷好意，孩子還是不願意談到社交恐懼和社交問題。此時父母最好不要硬逼著孩子溝通，可以等一段時間再試一次。在這種地方，爲了得到孩子談論該問題的『准許』，父母必須有創意一點。

## 使用酒精『自我治療』

大部分的美國小孩都是在十六歲之前發現酒精的。有些人會嘗試它，不過並沒有被它的作用所吸引。其他人則不幸的立即發現，酒精對他們有緩解焦慮的效果。這樣的情節極爲常見：有社交恐懼的青少年在派對上接觸到啤酒或葡萄酒，然後發現社交焦慮不見了。他們在派對上變得能夠『呼風喚雨』。醉酒的青少年可能甚至因爲找到逃離焦慮的自由之窗，而興奮得不得了。酒精（以及其他毒品的使用）變成一種高效的強化劑，使得青少年很容易一而再再而三的訴諸於它，甚至是在社交焦慮的緩解不再發生之後。最終，父母單純的禁止孩子外出或參加派對，將無法解決問題，一定還需要幫忙孩子以非酗酒的方式，學習處理社交場合。

## 何時尋求專業協助

孩子如果有長期的毒品或酗酒問題，那他顯然需要專業治療。這個情形也適用於社交焦慮的其他嚴重的併發症，像是憂鬱症或逃學。不過父母不應該等到危機發生之後，才尋求幫助或至少請專業人士幫忙評估需要協助的程度。倘若一個孩子似乎一直處於沮喪狀態，或是患有無法用我們以上所列出的簡單方式治療的社交焦慮問題，那麼請教醫生將能預防未來的併發症，或甚至最後能夠發揮救命的功效。

在檢視了所有可能在自尊、社交技巧以及人際關係的發展中出錯的地方之後，有人會以爲，父母似乎不太可能指引孩子安全通過重重的難關。幸運的是，父母的幫助最後往往能夠奏效。大部分的父母比任何的書本都更能夠了解他們的兒女，而且孩子們對迎接生活中不可避免的社交挑戰，皆具有很強的適應能力。對大部分的小孩而言，社交焦慮的問題都是暫時性的，而且即使它們困擾很長的時間，處理它們的方法並不只一種。

# 5

# 社交恐懼症的治療

# 心理治療

你爲什麼不說話？你問。
因爲好多人瞪著我，我回答。
瞪得我心砰砰跳，
呼吸也喘起來，
連舌頭都打結。
接下來就要死了，我哭喊。

別傻了，他們說。
你太高估他們啦。
說吧，你自會發現美意
存在他人的眼裡。
他們騙人……我要死了！

——盧辛達・司考特－史密斯，一九九四

大部分有社交焦慮症的人，像前面這首詩裡的情形，都經常會碰到來自朋友家人出於好心卻毫無幫助的忠告。在過去，許多專家學者常用的心理治療方法也都犯了同樣的毛病。不過最近，針對社交恐懼所設計的一些療法在研究調查中發現十分有效，對身受其苦的人幫助極大。在這一章中，我們要探討一些一般用來治療該症的方法，特別是那些最具療效的方法，同時也就如何選擇一名治療師研討一些頗爲實際的問題。

## 認知—行爲治療

對社交恐懼症最具療效的一些方法都出自行爲認知心理學。治療形式是由治療師採取主動的姿態，提出一些特定的問題發問，依此確定哪些狀況出了問題，在遭遇這類狀況時病人眞正的想法與作法是什麼。治療師身兼老師和教練兩種身分，幫忙確認問題行爲與思考模式，並發展有效的對策。演練這些新對策的機會先經過規劃，再由治療對當事人的努力過程提出回應意見。認知行爲療法不像傳統的心理治療，不追究問題的因，了解原因通常無助於改變，反而搶走了建立新行爲模式的時間。

認知行爲療法最初是爲治療憂鬱症，近期深受社交焦慮症的青睞。其中推展團體治療的理查・海伯格（Richard Heimberg）和推展整合性個人與團體行爲治療和社交技巧訓練的山繆・透納（Samuel Turner）及黛伯拉・比笛（Deborah Beidel）都是主張認知行爲療法的主流。

一九八〇年代末，海伯格展示一種療法，教導許多疾患團體如何對自我的社交能力培養更實在的認知觀點，並利用角色扮演熟悉新的應對技巧，這套方法對於減低社交焦慮相當有用。一名參與者在海伯格的認知行爲團體治療中可以學習到直接對抗社交恐懼（從最輕微的開始），這是接受正規的每週兩小時連續十二週爲一期的療程。每一名組員選擇一種引發焦慮的社交狀況或是公衆狀況，譬如在宴會中演講或是在業務會議中做商品說明。經由一位治療師（最好是兩位）的協助，每個組員列出一紙自我恐懼的各種想法（『在宴會上沒半個人會跟我說話』）。這些想法的正確性都通過理性的考驗，再發展出一套因應的說辭（我有好些有趣的事情可以跟大家說）。

治療師幫忙安排這樣經過設計的假設情況，由團員輪流角色扮演。別組團員在這些演練當中扮演其他各種不同的角色，譬如扮演聽演講的觀衆，商品說明會中的潛在顧客，或是宴會中展開交談的另一方等等。團員抱著預先計劃好的心態進入模擬情況（我在這個『宴會』裡先做自我介紹，同時至少要主動提出一個話題和對方交談）。由治療師發動各角色扮演做起始，主角發表自己的應對措辭，展開一段爲時五分鐘的恐慌情況模擬。

模擬完了，治療師主持討論會，由團員一起討論角色扮演的結束，再對主角的演出表示反應。每一個團員在講習之後都要帶功課回家做，主要包括走出課堂面對眞實生活中的各種情況。組員若是能操控困難度最低的狀況時，就可繼續朝挑戰度較高的狀況邁進。

不少研究顯示這種認知行爲團體治療（cognitive-behavioral group therapy；CBGT）的型式與非特定性的療法相較效果顯著。研究人員應用非特定性療法加以控制的情況，有可能是因爲機會，有可能是因爲治療師的用心或熱誠，有可能是CBGT之外的一些另類途徑而使病人有所改善。一系列的研究顯示爲期十二週的CBGT要比讓病人等待機會（即所謂利用機會改善控制症狀的方法）有效得多，也比情緒支持、焦慮教育（但沒有包含認知行爲技巧）的團體療法有效，更較服用安慰劑（對病人宣稱有抗焦慮作用，但實際上爲糖衣錠的空膠囊）之對照組病人有效。經過CBGT治療後病患明顯改善的情況業經病人與治療師證實——同時也由一些對各個病患採用何種療法不知情，立場公正的顧問專家所證實。

而改善的表徵也持續在治療結束的三至六個月以後不斷顯現，這表示受治療者仍繼續不斷自動自發的在應用這些技巧。受治療的成員中有十九人在五年後的一項追踪研究顯示，接受CBGT療法的人顯然比控制組之對照療法的病人爲佳。可惜五年後能夠聯絡到的人數過少，所以其長期療效的問題尙待更進一步的研究。

在海伯格測試CBGT療法的同時，山繆・透納與黛伯拉・比笛開發出一套爲期四個月的密集式療程，稱之爲『社交特效療法』（Social effectiveness therapy，SET）和CBGT近似，主要也是天天練習心存恐懼的社交活動。與CBGT不同的是它沒有直接表現否定思維模式的課程，而添加了教導社交技巧的部分，譬如怎樣開口交談或是怎樣建立友誼。同時發表一項所謂『滿溢式』（flooding）的曝露（露臉）技巧，讓學員進入（或假想進入）一個極度可怕的狀況，並且滯留在現場（或假想逗留在現場）一直等到這人的焦慮感至少降低到百分之五十爲止。

一次研究發現，百分之八十四有社交恐懼症的人在運用SET療法後有相當明確的改善。另一次研究發現，二十節的「滿溢式」曝露課程比服用安慰劑的控制組療效爲佳，同時也較藥物治療（已證實對社交恐懼無效）有效。世界各地的研究人士也各以當地的版本報導相似的成功經驗。簡言之，這些療法的效果確鑿，後續的研究則定位在對此類療法做『微調』和修飾，其他認知行爲療法的不同版本則就其中最重要的治療部分做不同的著重。

## 團體、個人以及其他方式的治療

團體與個人療法各有利弊。團體治療好處之一是學員知道其他人也有社交恐懼，而且習以爲常時會使自己普遍覺得非常輕鬆自在。往往立刻形成一個患難與共的共同體。另外一個重點是，因爲與會的是一群將社交恐懼搬上枱面來的陌生人，這個團體就成了致力揭發這些恐懼最有力的背景。在恐懼的狀況中曝光——譬如在大庭廣衆間談話，或是在宴會中交際——這在個人療法中是純屬想像，但在團體治療中卻輕而易舉。各個團員的表現都能從其他團員那裡得到迴響。最後一點，團體治療的費用要比個人治療來得便宜。

團體療法也有一些缺失。對許多患有社交焦慮的人來說，把問題攤在一屋子陌生人面前仔細檢查的感覺就像在做根管治療。因此，有些人寧可和治療師一對一個別治療，或者先從個別治療開始等到觀念上舒坦時再推向團體治療的型式。團體治療也比較浪費時間，因爲每節課裡有一部分時間都集中在其他團員的各種需求上，個人無法從治療師那兒得到如個別治療時的直接關照。

個人治療也可合乎其他人的問題做借鏡，這在團體療法中可能辦不到。最後，個人療法要比團體治療方便得多。

認知行爲療法有許多不同的方式，雖然不如前面專門提出的幾個療法那樣經過嚴密的測試，其實也具相同的效果值得選擇。有些治療師利用看診時間討論負面思維模式或是在處理社交狀況或人際關係上出現的一般問題，而把面對恐懼狀況的曝露行動留給病人在診所以外的時間自理。愈來愈多的精神科醫師在用藥物治療的同時也配合這型以家庭作業爲基礎的認知行爲治療。

## 傳統的心理治療法

有些患有社交恐懼的人從較爲傳統的療法中收到效果。這些療法包括病識感取向或是精神理分析治療，主要在挖出不自覺存在的恐懼的根，以及進行支持性心理治療，由一位有熱情有愛心的治療師爲病人理出人際方面的問題。在每個治療過程，病人與這位具支持性、高接納度的治療師自會發展出一種工作夥伴的關係，而建立這樣一個關係的過程本身或許就是一種療法。

在病識感取向的療法裡，治療師扮演不太主動的角色，由著病人自己在現實問題和情緒當中，在孩童時期的經驗裡，在病人與治療師之間不斷進展的關係方面做成聯想與結合。藏在焦慮症狀底下那些不自覺的情緒是可以接近，可以解說，可以理解的。發掘社交恐懼成形的原因有助於舒緩對缺點方面過度的自責。這類療法方便恢復自信，進而間接的幫助病人走進他所恐懼的狀況，以比較不具威脅的心態加以看待。

不過傳統式療法有一層危險，過分強調追根究柢，花費幾個月甚至幾年的時間窮究到底，很可能不經意的造成病人延誤置身恐懼實況的另外一個理由。無論哪種療法，置身於內的曝露行動是復原的必需。有些治療師將傳統的病識感取向或是精神分析療法與認知行爲療法整合在一起。因爲他們相信洞悉社交恐懼的因有助於發展比較理性的思想，激勵當事人置身於心生恐懼的實況中。

這類療法的實際效果不像認知行爲療法，並沒有對病人做過研究。長期的心理治療，譬如精神分析式的心理治療，實在很難做科學上的研判。頂多是一些證據微弱的理論和成功的一些個案報告來支持其療效，證據相當薄弱。

## 放鬆療法

放鬆治療也被視爲有助於減輕某些形態的焦慮症。照約瑟夫・沃比（Joseph Wolpe），這位首先提倡放鬆療法的先驅的說法，焦慮的相反就是放鬆肌肉。簡單的說，如果肌肉放鬆了，你對任何事物都不可能會緊張。放鬆療法最普通的一型稱做漸進式肌肉放鬆。二〇年代由一位名叫傑克生（Jacobson）的醫生發展出來，它的方法是系統性的收緊與放鬆全身的肌肉，從腳趾到頭頂。另外一型是著重調整呼吸的練習。

很多研究顯示放鬆的技巧對減輕一般性的緊張和焦慮很有用，卻很少提到直接運用在社交焦慮上面。這些報告指出肌肉放鬆的技巧如果在社交場合產生焦慮狀況時充分的運用最爲有效，臨場的效果好過只在家裡或診所中的練習。有很多認知行爲心理學家都以它做爲抗拒焦慮與恐懼的工具之一。其他一些相關的方法，諸如生物回饋（學習自我控制生理性活動，如心率、皮膚溫度）或冥想（主要藉重複念誦一些字詞句子的時間將注意力集中在呼吸上），也都很有幫助。祇是單靠肌肉放鬆、生物回饋和冥想，實在不足以解決社交焦慮。

## 另類療法

近幾年大家對另類療法的興趣大增，在各種身心問題上儼然成爲治療的主流。這類療法對社交恐懼症的效果根本沒有做過任何研判，但一些另類的療法確實普遍地用來減輕社交恐懼。

亞歷山大療法（the Alexander technique）是源自英國的一項物理治療，在演藝人員和音樂家裡面特別風行。這個方法主要依據在於表演的焦慮感與身體的動作和姿態有極大的關聯。它的宗旨是藉訓練患者將自己的身體調整到最自然的方式以舒緩焦慮。一項研究顯示音樂家運用亞歷山大療法可以趕在音樂會開場之前降低血壓，於此同時有更多的科學研究證明它的效果仍待商榷。

跟亞歷山大療法相仿的舞蹈運動療法所依據的觀點在於運動（動作）與情緒之間互有關聯。舞蹈運動療法檢測一個人舉手投足的方式，分析肌肉運動的『流動』（flow）型態。『緊張型的流動』說明肌肉的流動型態像繃緊的彈簧，因而造成高度焦慮和社交壓抑。肌肉不緊繃時的運動則是『自由流動型』，它所產生的是緊張焦慮的放鬆以及壓抑的解除。

患者在學習以新的減壓方式運動的同時也需要求助於懇談，把本身的問題說出來。

心理演劇療法是由患者上台作主角，同組其餘的團員在周圍做配角，治療師坐在導演椅上發號施令。『角色扮演』的術語出自這項治療，這是一九二〇年由J.L.摩利洛（J.L. Moreno）發起的一項療法。它和認知行爲團體療法一樣含有恐懼狀況的演練，只是治療師分析問題的角度大不相同！它著重的是幼兒期的經驗。

## 自助性團體

自我成長團體的力量不可低估。據《消費者報導》（Consumer Reports）最近對心理治療法療法的評論，爲數極多的人因各式各樣的問題加入自我成長團體後都表示高度的滿意。自我成長團體並非有意取代專業的評估與治療，但能提供很有價值的機會方便練習社交技巧和分擔與支持情緒。只要是鼓勵人投入社交場合的活動都可以彌補專業療法的不足，因爲它提供了一個研習新的應對技巧的機會。

像美國焦慮症協會之類的機構登記有許多針對焦慮患者設置的輔導團體。那些注重社交焦慮症或發展社交技巧的團體效果特別好。司儀訓練中心（Toastmasters），一個贊助說法技巧研習團體的國際性組織，以它做爲治療公開場合說話焦慮症的輔助性療法，相當有用，一些爲公開場合說話、表演或其他社交技巧所開的課也同樣的很有用。練習社交技巧的機會永無止境，範圍從健行俱樂部到教會活動和政治組織無所不包。

一個有同情心肯扶持他人的朋友，或是一個教會地下室裡的非正式自我成長團體可以幫助許多人擺脫部分的焦慮。參加我們一項治療課程的一對雙胞胎兄弟就是藉彼此的扶持與勉勵做爲治療上的補強。『治療給予我們最初的，最必要的一份力量，』一個說。另外一個說明他們倆最後如何克服對宴會和約會的恐懼：『我們不斷給對方打氣，不斷告訴對方我們辦得到。』

## 如何找一位好的治療師？

假如自己的努力效果不彰，假如社交焦慮使你生活受限，或者干擾到你的幸福快樂，就該考慮好好找一位專家了。找尋治療師最平常的來源就是朋友或家人，他們很可能會向你推薦一位本身看過或是很喜歡的人選。這一招也許管用，但是很多患焦慮症的人覺得把自己的問題透露給朋友或家人很不自在。再者，朋友所經歷的可能是完全不一樣的問題，他（她）的治療師也許並不是這方面的專家。

找一位專精焦慮問題的治療師當然最理想。像美國焦慮症協會這樣的心理衛生機構都有這類專家的名單，一些國家或地方專業協會和以醫院爲準的相關服務機構也都有。其他還包括有家庭醫生、健保組織或其他類型的保險組織等等。多取得幾個治療師的名字，在電話上先做簡短的交談幫助你做成決定是非常好的一個辦法。

## 什麼樣的治療師？

在心理衛生範疇內找自己需要的治療師可能會令你眼花撩亂。高矮胖瘦、名稱頭銜一應俱全。舉例來說『治療師』和『心理治療師』這兩個名詞相當廣泛，通常都由無照的治療師在使用。專業的頭銜，譬如『心理學家』、『精神科醫師』、『社工人員』，這些僅限於有照的專業人士。所以一定要問清楚這位治療師是不是有專業執照。

懂得認知行爲療法的治療師通常是擁有哲學博士（Ph. D.）學位的心理學家（由大學臨床心理學科系頒發的博士學位），雖不見得所有的心理學家都會使用這個療法。治療師也可以是精神科醫生，擁有醫學博士（M. D.）的學位「在精神病學方面接受過特殊的專業訓練）。精神科醫生在提供治療之外，也具有開藥方的執照。其他一些治療師包括有教育博士學位（Ed. D.）或專攻心理學（Psy. D.）的心理學家，以及從社會工作院系取得碩士（M. S. W.）或博士（D. S. W.）的社會工作人員。

不管什麼學位，最重要的考量因素是治療師對社交焦慮的知識，以及治療這類毛病的經驗。得到這個資訊的方法是直接了當的問治療師：『在治療社交恐懼症方面你有什麼經驗？你的基本療法是什麼？你使用的專門技術是什麼？』對社交焦慮症學有專長的治療師不多，但對付一般性的焦慮恐懼問題經驗豐富的治療師比比皆是。

預先考慮自己對治療型態是否有任何癖好是很不錯的想法。假如你偏好比較直接的治療，針對社交行爲與焦慮感的改變爲主要目標，那就去找一位使用認知行爲療法的治療師。假如你喜歡認知行爲團體治療，那麼就近從消費者或專業機構去查詢。另外許多治療師採用的雖不是認知型或行爲科學方面的療法卻同樣效果很高。舉例來說，如果你覺得了解一些可能導致焦慮毛病的生活經驗非常重要，那最好選擇比較傳統的病識感取向型態的治療。至於兒童，我們建議家長選擇一位既能提供行爲治療也能像做孩子的個別輔導一樣向家長提出忠告的治療師。

## 其他考量

尋找治療師的時候，了解自己的偏好尊重和自己的直覺也很重要。可曾有過別人建議你選男性治療師而你卻偏好女性的情形？治療師是不是了解你的問題所在？研究證實病人與治療師之間價值觀與個人風格的『好搭配』對治療成敗的決定相當重要。

就實際方面來說，在第一次就診之前就該查明這個治療師是否眞有能力提供治療或僅僅是粗淺的談談你的問題（常常只是依循另一位治療師的看法）。務必問清楚這個治療師是否能排定一個很方便又規律的看診時間。治療師應該主動告知收費規定、初診與複診的時間長度。在開始治療之前多花一些時間做好該做的調查，這份努力通常是很值得的。

# 藥物治療

想要被治療的慾望，一直是健康的一部分。

——塞尼加，西元前四年——西元六十五年

爲何考慮使用藥物來治療社交焦慮問題？如我們先前討論過的，社交恐懼症有可能導致極大的痛苦。心理療法會有幫助，但對某些人而言，它們並非完全有效。而社交恐懼症的生物病因與身體症狀意味著，能夠處理這些因素的藥物療法可能也會有所助益。

在一九八〇年代中期以前，社交恐懼症的藥物療法並不廣爲人知，而當時如憂鬱症和恐慌發作等其他情緒問題的有效藥物已經流行了一段很長的時間。在過去的十年裡，對社交恐懼症的藥物治療的研究，才開始迎頭趕上。該研究之所以盛行，是因爲人們越來越了解到，社交恐懼症很普遍、很嚴重，而且至少有一部分是以生物現象爲基礎。另一個因素則是前途看好的抗焦慮新藥的發展。製藥者在最近注意到這個成就，且認出社交恐懼症患者爲數衆多，是有效新藥品的一個潛在的廣大市場。他們於是騎上這個大浪頭，開始在社交恐懼症藥物的試驗上，投入大量的資源。

由於精神病學家和製藥公司所投下的關注，藥物實驗已經顯示出，數種藥品能夠減輕社交恐懼症的症狀，而且這些藥物正逐漸被普遍的使用。本章將檢視這些藥物的發展，描述它們的好處與限制，以及討論一些問題，以決定是否應該嘗試社交恐懼症的藥物治療。當然，任何使用及挑選藥物的決定，一定要事先請醫師幫忙確認診斷結果，並爲個別的患者考慮藥物的安全性及好處。

我們將討論到的所有藥物，都曾經經過對社交恐懼症患者的科學研究的評估，不過每一種藥品最初被准許上市，皆是因爲另一種病症，像是憂鬱症或高血壓。在美國，『食品藥物管理局』尚未特地爲社交恐懼症准許任何一種藥物的流通，雖然這個情形將會在接下來的幾年裡有所改變。然而，『食品藥物管理局』爲一種病症所准許的藥物，往往稍後都會由內科醫師用在其他各種疾病上面。即使有證據顯示，因爲某種症狀而經過准許的藥物，對另一種病症也會有效（像是社交恐懼症），但製藥者往往決定不向『食品藥物管理局』申請把藥物拿來治療這種新的病症，原因是申請的過程冗長而昂貴。

## 貝塔阻斷劑（BETA—BLOCKERS）

最先引起焦慮療法的研究者注意的藥物之一爲『貝塔腎上腺素阻斷劑』，俗稱爲貝塔阻斷劑。這種藥於一九六〇年代被用來治療高血壓，不過貝塔阻斷劑自從那個時候開始，人們發現它們還有許多其他的用處。Inderal（學名爲propranolol）是這種藥物之中最著名的。

## 如何作用

這些藥物的藥理機轉，引起研究焦慮問題療法的人員很大的興趣。它們之所以叫做貝塔阻斷劑，是因爲它們確實阻斷貝塔受器與血中荷爾蒙腎上腺素之間的接觸。貝塔受器位於心臟和肌肉等這些器官當中。當貝塔阻斷劑不讓腎上腺素分子和它的受器發生接觸和作用時，腎上腺素就無法引發它通常會引發的某些症狀，包括心臟的狂跳及雙手的顫抖。

腎上腺素的正常角色是幫忙啓動身體的打或逃反應，以使一個人能夠應付致命的危險狀況。假使某人繞過街角，看到迎面撲來一隻兇猛的獵犬，腎上腺素的大量分泌將能提高此人對抗攻擊者或逃離攻擊者的能力。然而，對比較平常的『危險』來說，像是演講、上台表演、或從事精確性運動，這種荷爾蒙的作用其傷害性有時候反而會比它的助益還要大上許多。在這些場合中，打鬥或逃走並非適當的選擇。在這裡，腎上腺素的作用促進『表現焦慮』的經歷，導致令人困擾的症狀的產生，而這些症狀則造成了困窘，並使當事人無法專心於手邊的事情。阻斷腎上腺素的作用可以預防許多這些表現焦慮的發生。

## 療效

當然，在表演之前一個小時服用一劑貝塔阻斷劑，已經被確定是在各種表現場合中的有效療法。研究顯示，它們造福了有焦慮問題的音樂家、保齡球員、打靶員，以及考試會緊張的學生。服用貝塔阻斷劑的焦慮患者傾向於報告說，他們通常的生理症狀會變得更輕微、更不會讓他們分心。在比較貝塔阻斷劑與安慰劑這二者的作用的研究中，一般來說，裁判（他們不知道表演者到底吃到哪一種）都會指出服用眞藥的表演者有更佳的表現。

然而，其他最近的研究發現，如果廣泛性社交恐懼症患者每天都服用的話，有些貝塔阻斷劑就不會很有效。這些患者的恐懼涵蓋了大部分的社交場合，並不是只有表現場合而已。我們並不清楚，貝塔阻斷劑在這些研究中比較沒有效的原因，到底是因爲患者天天而非間歇性的使用它們，還是因爲它們對抗焦慮的效力在一般社交場合中（像是跟認識的人閒聊）比在表現場合中（像是演講）小。對一般社交場合的恐懼也許較不可能牽扯到建基於腎上腺素的打或逃反應，而貝塔阻斷劑所預防的就是這類反應。因此，貝塔阻斷劑似乎對在需要時才服用它們的社交恐懼症患者最有效力。

市面上有許多各有特色的貝塔阻斷劑，它們的不同點包括藥效時間（從數個小時到大約二十四小時都有）。它們對兩種不同亞型的貝塔受器的影響程度，也有相異之處，這些受器分佈於身體不同的器官上。有些貝塔阻斷劑主要是對貝塔—1受器發生作用，它們能夠減緩狂跳的心臟，不過它們可能對放鬆顫抖的雙手較無效力，因爲這是由肌肉中的貝塔—2受器所控制的。其他貝塔阻斷劑，如同Inderal般，能夠同時大大的影響這兩群貝塔受器。針對表現焦慮所開的典型劑量，一次爲二十到四十毫克，在表演之前一個小時服用。

## 限制

除了可能只對涉及表現焦慮的場合有效之外，貝塔阻斷劑也可能對於減輕身體化症狀較有效，而對於抑制充滿恐懼的想法較無效。倘若焦慮大多由恐懼的想法所構成，並且伴隨著很少的震顫、出汗、臉紅以及心悸等這些生理症狀，那麼患者可能很難在他們所懼怕的場合中受益於這些藥物。

在需要時才服用貝塔阻斷劑，或許方便於應付偶爾的表演活動，不過當表現機會突然來臨（像是被要求在會議上做即席報告），或是當表現場合經常發生時，那麼就會有問題出現。如果每天服用貝塔阻斷劑，它們可能會喪失一些效力。此外，在很花體力的活動中（譬如網球比賽），貝塔阻斷劑有可能限制巔峰的運動表現。

貝塔阻斷劑似乎也無法改善那些對上台並非特別焦慮的表演者的表現。對只有輕微焦慮程度的表演者而言，自然產生的腎上腺素會提供一股能量感，有助於集中注意力以及表達感情和靈感。倘若一個人自然產生的緊張能量已經到達最適合帶出他或她的最好的才能的程度，那麼使用貝塔阻斷劑實際上反而有可能減損表現品質。

## 副作用

有氣喘、糖尿病，或某些形式的心臟病的患者，一般來說都應該避免使用貝塔阻斷劑，因此醫師往往在開始治療之前，要求病人做心電圖。在我們的經驗中，健康者偶爾使用貝塔阻斷劑通常不會有什麼副作用。這是貝塔阻斷劑勝過其他藥物的一個大優點。值得注意的是，它們通常不會導致昏昏欲睡，也不會嚴重干擾到精神功能的靈敏度或反應時間。

貝塔阻斷劑並不會使人上癮，人們不會渴望或濫用它們。然而，很重要的一點是，任何會迅速消除症狀的藥品，都可能製造心理上的依賴。表演者最後可能會覺得，他們得在服用貝塔阻斷劑之後，才敢上台。這種心理依賴似乎比較可能發生在貝塔阻斷劑這類藥物上，人們通常在進入所懼怕的場合之前，先直接服用它們，這與別種藥物的情形，如SSRIs（參看下文），剛好相反，後者係應每天規則服用才有效。

## 貝塔阻斷劑在舞台上的使用

音樂表演者所廣泛使用的貝塔阻斷劑，已經引起了一些爭議。一九八七年對『交響樂暨歌劇音樂家國際會議』的兩千人以上的成員所做的調查發現，有百分之二十七的人使用貝塔阻斷劑propranolol對付表演焦慮。在這群曾經使用貝塔阻斷劑的音樂家之中，有百分之十九每天服用由醫師所開的貝塔阻斷劑處方藥，百分之十一偶爾使用貝塔阻斷劑，百分之七十報告說，他們在未拿到處方箋的情形下，獲得這些處方藥。在音樂界中，有人批評，表演者使用貝塔阻斷劑是不當的行爲，意味著個人與專業的脆弱。其他人則贊同該藥的使用，認爲有助於表演者在一個競爭激烈的領域中倖存下來。

當一位演奏者在一場競爭激烈的交響樂團試聽會中，使用貝塔阻斷劑來改善自己的表現時，他或她基本上是不是有作弊的嫌疑呢？這個情形是否等於是奧林匹克運動員使用類固醇呢？還是它跟運用其他可以被接受的科技的情況沒有兩樣，像是購買更好的運動鞋或是品質更佳的樂器來增進個人的表現？抑或是，它只是讓一個被焦慮病症折磨的患者，踏在與其他對手等高的立足點上，其作弊的程度輕微到就如同一位膝蓋疼痛的運動員服用阿斯匹靈呢？

我們認爲這要看使用這種藥物的目的爲何。與運動員使用類固醇塑造超強肌肉的情形有所不同，貝塔阻斷劑並沒有提供音樂家超乎平常放鬆時所能表現的技巧，像是當音樂家獨自一人練習時。類固醇可以幫忙運動員增長肌肉，然而貝塔阻斷劑卻無法爲沒有嚴重表演焦慮的演奏者，增強表演能力。就這點而言，貝塔阻斷劑的功用比較像是作爲止痛劑的阿斯匹靈——它們緩解一種疾病的症狀。

因此，『認爲使用貝塔阻斷劑的表演者，犯下道德錯誤』的這個觀念，的確有所偏差。然而，這些焦慮藥物的使用，仍然可能無法讓許多表演者受益。它們當然不該被用來替代『學習克服表演焦慮』的嘗試，尤其是對年輕的表演者而言。即使是對資深表演者的長期困擾來說，如認知—行爲療法等非藥物治療，應該被率先考慮。非藥物療法提供給患者最大的潛力，讓他們在停止治療之後，還能夠長期的克服焦慮問題。

當一個人在發展處理技巧的同時，暫時使用貝塔阻斷劑來讓自己能夠上台表演，這才是貝塔阻斷劑最能發揮效用的地方，這如同一個人在等待斷腿治癒的同時，使用T型拐杖來協助自己正常運作一樣。即使做了很大的努力想要克服焦慮，有些表演者最後仍然會同時間歇性的使用貝塔阻斷劑，來使自己的表現維持在最佳的狀態。到底要不要使用貝塔阻斷劑，這應該是一個由醫師所指導的個人決定，建基於表演者焦慮病症的嚴重性之上，並且應該整合到一個長期的克服問題的計劃之中。

## 鎮靜安眠藥苯二氮䓬（BENZODIAZEPINES）

當人們提到抗焦慮藥物時，他們通常所指的就是苯二氮䓬。這類藥物也可以充當鎮靜劑使用，而Valium（學名爲diazepam）和 Xanax（alprazolam）是其中最有名的。當這些藥物於一九六〇年代早期上市之後，它們比先前的抗焦慮藥物進步很多，因爲苯二氮䓬大致上比較安全，而且萬一服用過量時，比『巴比妥酸鹽類藥物』等舊藥安全多了。

### 如何作用

不像貝塔阻斷劑作用於身體上某些器官的貝塔受器上，這些藥物作用於腦內焦慮信號的根源處，影響一種叫做伽瑪氨基丁酸的神經傳遞素，往往能在十五分鐘之內緩解廣泛性焦慮（過度的緊張及擔心），這些藥物從那時候起，已經被證實對其他特殊形式的焦慮也有療效，像是恐慌發作。

### 療效

由於苯二氮䓬的藥效和貝塔阻斷劑一樣快速，曾經有人測試這些藥物的效力，讓患者在進入如演講等表現場合之前，服用一劑此類藥物。這類藥物的單一劑量，在需要時才服用，的確可以減輕表演焦慮。不幸的是，單一劑量對某些人也會導致疲倦及昏昏欲睡等副作用，它們有可能沖淡最佳表現所需要的高靈敏度或身體的反應時間。

出人意料之外的，當苯二氮草經常定時被服用時（每天二到四次），這個問題往往就可以避免。當一個人規律地服用這類藥物，身體就會適應它們，疲倦及反應遲鈍等副作用便會大大的減小。幸運的是，抗焦慮的效力仍然存在。在市面上十多種苯二氮草當中，有兩種特別被拿來研究社交恐懼症的治療——Xanax（alprazolam）和Klonopin（clonazepam）。在迄今爲止一個設計精良的研究中，Klonopin或一顆假藥丸（安慰劑）被定時給予社交恐懼症患者十二個禮拜（他們大部分都懼怕各種社交場合，不只是演講）。有百分之七十八服用Klonopin的病患，其焦慮症狀和社交功能獲得很明顯的改善，而服用安慰劑的患者只有百分之二十得到改善。必須有進一步的試驗，我們才能決定其他苯二氮草是否也有相同的好處。

## 限制

苯二氮草這類藥物有兩個大缺點。如果每天服用，身體會自動發展出對它們的依賴性。這意味著，計劃停止服用的患者，必須以漸進的方式來做，通常得花上至少七個星期的時間。貿然停用這類藥物，將會有焦慮復發的風險，且可能產生『脫癮症狀』。

此外，患者有可能濫用這類藥物。過多的劑量會使患者昏昏欲睡，而且苯二氮草可能會被用來逃避眞實世界的壓力以及讓身體停止正常運作，而非幫忙處理同樣的壓力，且讓身心運作得更好。一般來說，由於濫用的可能性，有酗酒或毒癮的人應該避免使用苯二氮草。然而，對其他人來說，在有醫師指示的療程中，濫用這類藥物的風險是很低的。

## 副作用

目前爲止，疲倦或昏昏欲睡是苯二氮䓬最常造成的副作用，特別是開始使用之初以及藥量增加之際。笨拙或其他運動協調方面的問題也可能產生。這些影響往往在定時服用藥物幾天之後，便會減輕或消失。如果把苯二氮䓬拿來和酒一起服用，那麼酒精的作用會比平常強很多，這是危險的作法。

部分定時服用這類藥物的人們，很少會遇到什麼副作用。可能發生的副作用包括疲倦、睡得久一點、健忘、協調能力減損，以及性趣的喪失。苯二氮䓬並非抗抑鬱劑，它們偶爾會使憂鬱症惡化。很少發生的一個情形是，若過度使用苯二氮䓬療法，以至於把患者的焦慮減輕到正常水平之下，患者有可能變得太無所忌憚——譬如，做出他或她稍後會後悔的批評。

## 苯二氮䓬的爭議

這類藥物在一九七〇年代的名聲並不好，當時由於即使是輕微的焦慮問題，醫師都會以苯二氮䓬來治療，因此許多人以爲大部分的美國人皆『成癮』於Valium之中。媒體提出了警訊，州政府也以嚴格限制這類藥物的使用來回應。現今，大部分的醫師和患者都能合理看待這類藥物讓人上癮的可能性。不幸的是，有些醫師因此而反應過度，不計代價的避免使用這些有效的藥物。

建基於個別案例來衡量這類藥物的確實風險和好處，是很重要的事情。根據我們的經驗，當這類藥物在醫師的監督下用來治療社交恐懼症時，導致濫用的風險將會極低。這一點已經經由以苯二氮䓬治療其他焦慮問題的較大規模的研究所證實。那些先前曾經濫用酒精或鎮靜劑的人，或是目前正在濫用古柯鹼或其他興奮劑的人，比較需要考慮藥物濫用這個問題，他們可能會為了要從較高的神經亢奮狀態下來，而訴諸於苯二氮䓬類藥物。

比濫用更平常的一個情形是，生理上對藥物依賴性的發展，這個在決定是否使用苯二氮䓬治療社交恐懼症時，必須被考慮到。經常服用苯二氮䓬的人們，在生理上的確會發展出對藥物的依賴，就如同經常服用高血壓藥物的人們。突然停止服用這類藥物可能會帶來危險。逐漸停用苯二氮䓬並不危險，不過可能導致焦慮程度的暫時增大。這種『反彈性焦慮』最可能發生於藥物停用之時，不過當苯二氮䓬劑量先經過數星期的逐漸減用時，這個情況就比較不普遍。由於以上的原因，苯二氮䓬的停用，比我們這裡所提到的其他藥物都還難應付，不過對大部分的人而言，這個難處其實只是在停藥後的數天內焦慮情形稍增而已。

## 選擇性五羥色胺再攝取抑制劑

這些藥物的抗焦慮作用機轉才剛被知道。它們在一九八○年代晚期被用作為抗憂鬱劑，從那時候起便被稱頌為靈藥、或被冤枉的詆毀為兇手、從而被瘋狂的研究，以及被無數的醫生拿來治療病患。從這個混亂中所浮現出來的具體而平淡的事實是，對一些（不過不是全部）病症而言，SSRIs比過去的的抗憂鬱劑更有效力。Prozac（學名爲fluoxetine）係SSRIs 這類藥物中，最先在美國上市的。另外三種也從那時起開始面世：Zoloft（sertraline）、Paxil（paroxetine）、以及Luvox（fluvoxamine）。

## 如何作用

跟大部分已知的抗憂鬱劑類似，SSRIs的作用是藉由阻斷神經細胞對神經傳遞素的攝取。它們用這個方式調節腦內神經傳遞素的活動。其藥效以漸進的方式產生，通常需要四到八星期的時間。與舊有抗憂鬱劑不同的地方是，SSRIs的作用較具專一性，這是因爲它們主要影響神經傳遞素五羥色胺，對其他神經物質系統直接的不良作用極小。由於這個緣故，它們比較沒有惱人的副作用——像是口乾舌燥、便秘，以及昏昏欲睡——而這樣的副作用在過去限制了『三環抗憂鬱劑』等傳統藥物的耐受性。雖然SSRIs最初上市時是用來治療憂鬱症，事實證明，它們對各式各樣的病症都有療效，包括其他焦慮障礙，像是強迫性精神官能症以及恐慌症等等。

## 效果

自從SSRIs問世以來，醫學文獻中有關這類藥物對社交恐懼症有效的案例報告，一直在增加當中。最近幾年，也出現了以安慰劑爲對照的醫學研究，能夠支持最初的發現成果。美國市面上有四種SSRIs藥物（Prozac、Zoloft、Paxil，以及Luvox），現有證據顯示，每一種對社交恐懼症都有療效。與苯二氮䓬和貝塔阻斷劑用法上的一個重要區別是，SSRIs只有在每天服用長達數星期之後，才會發生效力。雖然SSRIs的藥效是以漸進的方式產生，它們的效力卻不會輸給其他藥物。

大部分對SSRIs的研究發現，有百分之五十到七十五的患者，在經過八到十二個禮拜的治療之後，在焦慮症狀和社交運作方面，都獲得了明顯的改善。這些研究中大多數的患者，所罹患的都是對大部分社交場合的廣泛性恐懼，不過根據報告，問題只侷限於如演講等表演焦慮的患者，也從這類藥物獲益不少。

對同時患有憂鬱症和社交恐懼症的人而言，SSRIs的抗憂鬱療效這個優點，使它們超越了貝塔阻斷劑或苯二氮䓬。（對無憂鬱症的社交恐懼症患者來說，SSRIs在治療社交恐懼症的同時，通常不會影響正常的心情。）然而用SSRIs治療社交恐懼症的主要優點，並非存在於其效力勝過其他療法，而是在於它們比較沒有副作用。

## 限制

這類藥品的使用限制比較少。SSRIs並不會致使身體對藥物產生依賴性，而且由於它們的藥效長而溫和，所以停止使用SSRIs通常不會產生脫癮效應。服用太多劑量的SSRIs也將不會導致身體任何形式的『興奮』，因此這類藥物的濫用不是問題。人們將發現，這類藥物甚至可能構成療程有用的一部分，幫助有長期社交恐懼症的物質濫用者恢復正常。因爲SSRIs對身體的其他系統的影響很小，對有用藥問題的人來說，它們往往比別的藥物安全。

服用SSRIs的患者的確需要留意，此類藥物可能會與其他許多處方藥和成藥互相作用。這也許需要調整另一藥品的用藥量，因此同時使用SSRIs與其他任何藥物的安全性，應向醫師請教。

## 副作用

儘管SSRIs的一個好處是，大多數的人並不會因為服用它們而有副作用產生，但對某些人而言，它們的確會導致令人困擾或無法忍受的副作用。其中最普遍的副作用是不寧的睡眠（往往伴隨著增多的對夢的記憶）以及胃口不好或噁心感，這些副作用通常在幾天之內就會消失。疲勞和流汗的增加偶爾也會是問題。如性趣的減低或很難達到性高潮等性方面的副作用，有可能影響到一部分的病患，兩性都有。

那些易於遭遇恐慌發作（與社交恐懼或社交場合無關的焦慮發作）的社交恐懼症患者，可能對這類藥物特別敏感。這些人最好在開始時先服用極少量的藥劑，以避免最初暫時性焦慮症狀的惡化。媒體早期曾經聲稱，Prozac療法會提高自殺或殺人行為的風險，但對數以千計服用Prozac的人所做的有系統研究顯示，此一聲稱並沒有獲得研究結果的支持。

## Prozac會不會改變個性？

精神病學家彼得・克拉默在他的著作《聆聽Prozac》一書中，提出了一個頗具爭議性的問題，也就是，Prozac以及與它類似的藥物會不會改變人的個性。在他的書中，克拉默實際上從未用到『社交恐懼症』一詞。然而，在許多他用來闡明個性改變的案例中，Prozac的一些關鍵作用，乃是紓解社交恐懼的壓抑。例如，他描述了泰絲的病例，當時他剛開始把Prozac用在這位患者的身上：

我從未見過一位病患的社交生活重整得如此迅速、戲劇性。自卑、好鬥、嫉妒、缺乏人際技巧、羞怯、害怕親密關係——社交笨拙的常見原因——是如此的根深柢固，如此的難以影響，以至於如果會有改變的話，也是速度緩慢。但是泰絲轉眼之間變成了另外一個人……。我相信泰絲的故事含有Prozac爲何這樣受歡迎的一個未記載於史實上的理由：該藥物改變個性的能力。這裡是一位運作功能經過戲劇性變化的病患。她的社交能力變得極強，不再是一朵乏人問津的壁花，而是一隻擅長交際的花蝴蝶。

社交恐懼症，以及它隨著藥療而改變的方式，的確挑戰了我們對個性到底是由什麼組成的觀念。如果對長期社交壓抑的緩解，可以被稱爲個性的改變，那麼SSRIs和其他藥物顯然有時候具有這樣的效果。從未了解泰絲內在經驗的旁觀者，可能會從她的更有自信及更外向的行爲推測，她的個性果眞改變了。然而，一個因爲服用SSRIs而經歷社交焦慮及迴避的緩解的人，很少會把這個情形視爲個性的改變。比較常見的狀況是，像泰絲這樣的病患們會把此一改變當作一種能力，該能力使他們得以充分表達被恐懼壓抑已久的眞實個性以及自發想法和情緒。

對因爲具有容易困窘與迴避社交機會等長期問題而即將接受治療的人們而言，要想像出沒有這些熟悉的負擔的生活，似乎是不可能的事情。那麼當改變因爲使用藥物而迅速發生時，它可能會令人困惑，即使它很受歡迎。偶爾有的患者的確會質疑，自己的個性是不是有所改變。

年紀到了三十二歲時，長久以來的害羞個性已經使得伊連恩感到悵然若失。由於最近才跟男友結束一段令人失望的關係，她知道重新進入派對圈，嘗試認識一個新男友，將是會一件令她很痛苦的事情。在過去，只要是第一個不錯的男孩表現得對她有興趣，她就會馬馬虎虎的接受對方，不過她心裡深知她應該得到更好的對象。她會藉由告訴自己，任何倒追男人的女人一定是出於極端的無耐與絕望——這是她的自尊無法做到的事情——來使自己的羞怯合理化。她並沒有勇敢面對來勢洶洶的社交恐懼，而且還反而說服自己，她眞正的問題是因爲男人的麻木不仁。但願公司那個她暗地裡欣賞的男人能夠敏感一點，看透她的心思……

伊連恩決定冒一次感覺起來像是最後一搏的險。她打電話給當地曾經刊登過社交恐懼症研究廣告的診所，而且雖然她不怎麼相信，還是願意給Prozac一次機會。到了第三禮拜的治療時，一件對她似乎很陌生的事情發生了。她開始跟公司她欣賞的那個男人交談，而且實際上很喜歡這樣的經驗。說話時，她甚至望入他的眼睛裡——她很少這樣做。很快的，她變成經常這樣做。她發現自己有史以來第一次享受和人們做平常的接觸。這個情形一方面很令她高興，不過另一方面，卻讓她很困惑。如她所說的，『這是眞的伊連恩嗎，還是Prozac在說話?』她奇怪的行爲是如此的困擾著她，以至於她甚至考慮停止用藥。

當我們開始探索她到底是誰時，伊連恩逐漸了解到，Prozac並沒有改變她的基礎身分。不過在她承認這一點時，她必須面對這個令她心痛的眞相：她對周遭不少人的看法，都來自於她對自己的缺點的過度防衛心。既然她已經比較不怕社交活動，因此伊連恩得以認出，行爲外向並非如她以前所認爲的是絕望的行爲。她開始下結論說，男人其實只是稍微不敏感一點。伊連恩抗拒了自己第一個想要拒絕用藥以及藥物所帶來的感受的念頭，而且她決定重新考慮她從前對別人的錯誤看法。

在長達一年的藥物與心理療法的聯合治療之後，由於她初期的改善一直在進展當中，我們於是決定嘗試停止用藥。在這一點上，伊連恩並不確定，她那新的社交信心是否有賴於Prozac的繼續使用，還是由於她在前一年裡所獲得的許多正面的社交經驗，她便能夠維持她的社交成就。在停藥幾個月之後，伊連恩發現，她對別人的某些恐懼又死灰復燃起來，不過她成功的對抗它們，而非棄械投降。雖然她很感謝Prozac曾經助她一臂之力，但她覺得沒有必要再度服用它。

## 單胺氧化酶抑制劑（MONOAMINE OXIDASE INHIBITORS;MAOIs）

MAOIs乃是最先使得精神病學研究者注意到使用藥品有可能裨益於社交恐懼症的藥物。自一九五〇年代晚期以來，不少人都知道MAOIs是有效的抗憂鬱劑。在英國，一九六〇年代所做的幾個研究顯示，MAOIs對一般的恐懼症治療皆有助益，不過研究人員尚未特別把焦點瞄準於社交恐懼症之上。他們也知道，在其他患有嚴重憂鬱症的病患當中，一種帶有情緒過度反應的非典型亞群，對MAOIs比對其他抗憂鬱劑有更佳的回應。

在此同時，紐約的精神病學家唐納德．克萊恩一直在研究一群患有他稱爲『類歇斯底里輕鬱』的病患，當時標準的心理分析法很難治好他們。克萊恩是那時尙在早期發展的『精神藥理學』的主要創新者，他把這些病人的關鍵特徵詮釋爲『建基於生物現象之上的對拒絕的極端敏感』。在這些病患中，一場短暫戀愛的結束會導致極度的悲傷，而且會臥床好幾天。他闡明，這些病患也顯然受益於MAOIs。接受治療時，他們不再把每一個被拒絕經歷變爲殺傷力極強的損失。

在一九八〇年代早期，精神病學家麥可．利伯茲與由克萊恩帶隊的『紐約州精神病研究所』小組，正一塊研究驚恐發作及廣場恐懼症。有一位恐慌症兼廣場恐懼症患者，對當時很有效的恐懼症藥物妥富腦（三環類抗憂鬱劑）反應不佳，這個情形讓研究人員感到困惑。該患者的主要症狀是，在火車上會感到恐慌，這在廣場恐懼症患者身上是一個主要的問題，他們傾向於擔心，萬一他們在火車上經歷到嚇人的恐慌發作，那他們將無法逃走或尋求幫助。

在檢視該患者的過程中，研究人員開始懷疑，他所獲得的最初診斷結果是錯誤的。他在火車上的恐慌感受，並非肇因於擔心未能獲得幫助。相反的，他最害怕的是，其他乘客將留意到他的焦慮，以及他會感到很丟臉。當火車上沒有別人時，他會完完全全的放鬆下來，而一個眞正的廣場恐懼症患者倘若單獨處於這種場合之中，卻會感到比任何時候都更加害怕。這位患者事實上所罹患的是社交恐懼症，結果發現，他最後對一種叫做Nardil（學名爲phenelzine）MAOI的反應非常的好。

利伯茲認出貫穿非典型憂鬱症、類歇斯底里輕鬱，以及現在的社交恐懼症的人際過敏與MAOI反應的主軸。儘管社交恐懼症原本被認爲並不普遍，一旦利伯茲刮掉辨識社交恐懼症的表層，且開始主動找出更多的患者來做研究之時，有社交恐懼症的志願者便開始一票票的跑出來。他覺知到，社交恐懼症其實比當時的人們所認爲的還要普遍、而且具有更大的殺傷力。利伯茲要求精神病學家以生物學的角度重新考慮這個『被忽視的焦慮症』。他藉由一個有安慰劑對照的研究，闡明MAOIs對社交恐懼症極爲有效，此一發現從當時起，就陸續受到美國與全世界其他研究團體的證實。

## 如何作用

MAOIs的作用是藉由抑制單胺氧化酶這種酵素的活動，單胺氧化酶則是腦內數種神經傳遞素的重要代謝分解酶。目前美國市面上有兩種MAOIs，也就是Nardil（phenelzine）和Parnate（tranylcypromine）。

## 效果

Nardil這種MAOI乃是目前治療社交恐懼症最常用的醫藥療法，而且它也可能是對抗社交恐懼症最有效力的藥物。在數個獨立研究中心所做的精心設計的具有安慰劑對照的研究中，Nardil 已經造福了三分之二以上的社交恐懼症患者，這些患者在長達八到十二星期的研究中服用Nardil。它甚至比SSRIs還要有效，當Nardil發生效力時，成果可能非常的戲劇化。此外，當其他藥物無法幫忙時，MAOIs有時候具有較佳的效力。這個情形也適用於其他抗憂鬱劑，MAOIs的好處，通常在服用至少數個禮拜之後，才會顯現。

## 限制

不幸的是，MAOIs也有嚴重的缺點。其中最受人關注的是所謂的『乳酪反應』。服用MAOIs的病患需要避開某些食物，包括大部分的陳年乳酪，這是因爲這類食物會與MAOIs相互作用，導致血壓的急遽上升以及如頭痛和嘔吐等症狀。倘若發生了嚴重的高血壓反應，且未能及時治療，那麼它有可能導致中風或甚至死亡。

爲了這個理由，服用MAOIs的病患需要遵循嚴格的飲食限制，避開危險的食品，其中包括許多陳年食物（像是香腸）、大部分的酒精飲料，以及各式各樣的奇特食品，如砂鍋肉湯和蠶豆等等。某些處方藥及成藥，例如抗鬱血劑，也必須嚴格禁止。儘管有這個嚇人的風險，大部分的病人都能夠遵守限制而沒有遇到太大的不方便，而且即使是輕微的高血壓反應，也不是經常發生。

## 副作用

雖然如果患者能夠事先防備，構成危險的乳酪反應並不常出現，但其他的MAOI副作用則較常發生，不過危險性並不高。一個經常出現的擾人問題是疲倦或昏昏欲睡，尤其是在下午兩三點的時候。其他偶爾發生的還包括眩暈（特別是在突然站起來時）、性功能障礙，以及體重的增加。當患者服用該藥物數個禮拜之後，有些副作用會因爲身體的適應力增強而變得輕微些。從『獲得充分資訊的病患仍普遍服用這些麻煩的藥物，而且有很好的效果』的這個事實看來，我們更可以了解到，MAOIs對抗社交恐懼症症狀的療效頗顯著。

## 新一代的MAOIs

MAOIs的高療效與高風險的副作用是令人感到挫折的結合，促使有人想要研究能夠把它們的優點與較大的安全性及舒適感能結合起來的藥物。RIMAs剛好也許是合適的對象。RIMAs全名爲『單胺氧化酶可逆性抑制劑』，與MAOIs一樣能夠抑制同一種酵素，不過其作用比較不完成。這意味著，RIMAs比標準的MAOIs更安全些，且其擾人的副作用也比較少。Moclobemide是目前在加拿大、歐洲，以及美國以外的許多地區上市的一種RIMA，可以在不需要嚴格的飲食限制下，被安全的使用。

然而，如果這聽起來好得不像是眞的，是有可能。雖然moclobemide在一個研究中看起來幾乎和Nardil治療社交恐懼症的效力一樣大，我們二人其中之一在最近所做的研究顯示，RIMAs的優點可能比MAOIs少很多。Moclobemide目前正流通於歐洲的一些國家，不過近期內它可能不會在美國上市。在此同時，對這一類前途看好的藥物的其他新藥的研究，仍繼續進行著。

## 是否每個人都該服用PROZAC？

就如同有焦慮問題的音樂家在一九七〇年代發現了貝塔阻斷劑，因而引起了人們對該藥物不公平的好處及濫用的關注，一九九〇年代所發展出來的逐漸被接受的廣泛性社交恐懼症藥物，也已導致了類似的爭議。如果像Prozac和Paxil這類藥物能夠把一朵壁花轉變成一隻社交花蝴蝶，那麼對我們之中那些只是偶爾被自我意識或害羞所困擾的人而言，它們會帶來什麼樣的好處呢？而且我們所談的可不只是幾百萬人而已：調查顯示，大部分的大學生說他們每星期至少有一次困窘的經驗，十來歲的青少年經歷困窘的機會甚至更多。任何小有成就的商人會不會眞的想要成爲一個『頂級男人』，就像洛利的研究中服藥的猴子般，爬到其等級制度的頂端？

一想到每個男的都變成唐納德．川普，每個女的都變成瑪丹娜，這個景象的確令人不寒而慄（雖然瑪丹娜自己都承認患有表演焦慮），但其實這些觀念所建立的前提並不可靠。

第一個錯誤觀念是，如果這些藥物幫社交恐懼症患者變得更舒服、更有信心，那麼它們一定會使得只有輕微害羞或困窘問題的人，變成野心極強的『交際超人』。除了罕見的例外，這可不是事實。當不沮喪的人服用抗憂鬱劑時，研究顯示，他們大部分仍然維持不會沮喪，但也不會變得『超級快樂』。當有輕微社交緘默的人們服用SSRIs、苯二氮䓬、或是MAOIs時，並無證據可以證明，他們會變成派對動物，或是小有成就的商人變成『幸福』

雜誌排名前五百大企業的總經理，或是不錯的講師變成具有催眠能力的大演說家。

第二，儘管總是會有一些如果他們相信不用努力，便願意嘗試任何事情來讓自己達到『完美』的人，大部分有輕微社交焦慮的人似乎不可能會願意找出一個任意開出處方藥的醫師、會願意每個月花費一百美金以上來購買最新的藥物，再加上醫師無限期監督療程的費用、會願意冒著產生擾人副作用的風險，像是不寧的睡眠及性功能障礙，以及會願意接受長期服用任何藥物本身所固有的不爲人知的危險。

根據我們的經驗，大部分病患只有在長期的痛苦、自我幫助及心理療法都失敗，以及大費周章的靈魂搜尋之後，才會轉而訴諸於藥物治療。他們爭論著服藥可能影響到他們的思考或行爲的好處與壞處，即使是一種安全、有益的藥物。對醫師在治療情緒性疾病的開藥模式的研究，總是顯示出用藥量的過低，即使所醫治的是嚴重的病症，如衆所周知對藥物有良好反應的嚴重憂鬱症。只有一小部分的客觀上很明顯的精神疾病患者，現今獲得甚至是差強人意的藥物治療。

第三個錯誤前提是，即使某種藥物能夠使人們徹底從社交恐懼及壓抑解放出來（這一點現今的醫藥無法辦到），這個現象將會很不正常。假若這樣的自由果眞可以從某種藥物獲得，那麼它很可能只是一個包裹交易的一部分——將會伴隨著對他人需要無動於衷的自由、不遵守社會行爲規範的自由，以及不服從令人不愉快的法律的自由。人們長久以來藉由高劑量的酒精、古柯鹼，或其他容易得到的物質來達到這樣的自由。即使未來的神奇藥物能夠達到這些比平常更自由的狀態而不會有吸毒時的恍惚快感，最後的結果將較有可能製造出一個惱人的反社會精神變態，而非一位超級社交家或超級企業家。我們在今天的醫藥治療上，並沒有看到這些結果，目前的藥物傾向於只是減輕嚴重的社交焦慮，讓它變得更容易控制一些。

以下是一些常見的社交恐懼症用藥問題的問與答——

**問：我的社交恐懼症要嚴重到什麼樣的程度，才需要考慮藥物治療？**

答：不少人誤以為，藥物治療只對最為嚴重的情緒問題才會奏效（也許只有隱士或如科學怪人等非常害羞的人們才用得著）。事實上，服用藥物類似心理治療，似乎對較輕微的社交恐懼症也一樣有用。請記住，根據定義，即使症狀較輕的社交恐懼症患者，也仍然會經歷到社交恐懼和／或迴避，以至於有可能嚴重干擾他們在社交、學校或工作場合的運作能力，要不然就是造成他們極大的痛苦。已經出版的研究以及我們的經驗都在在顯示，有更多原本可以從用藥獲益的人們，不是從未尋求幫助，就是最後決定尋求幫助之前，已經吃了太多的苦頭。

**問：訴諸於醫藥，難道不是意味著失敗或脆弱？**

答：大多數人不會把用藥看成小事一樁，尤其是在因為情緒問題而服藥之時，而且他們不應該把它看成小事一樁。並非每一位經歷社交恐懼症的人，會想要或需要尋求藥物治療。不過承認問題並不會把問題弄得更糟糕，而且能夠採取行動解決問題，意味著堅強，而非懦弱。值得注意的是，藥物是用來輔助而不是取代你自己解決問題的努力。如果你正在進步當中，你和別人都不會把你看成是失敗者。當然，社交恐懼症患者特別容易擔心別人的想法，這包括擔心別人可能怎樣看待他們的用藥行爲。

**問：藥物能否治癒社交恐懼症，還是人們得無限期的服用，才能維持健康？**

答：單單藥物本身，無法治療社交恐懼症，然而大多數人都是暫時性的使用藥物，通常爲期到十二個月。我們還不清楚理想的療程長度。

在考慮醫藥如何幫忙治療社交恐懼症時，最好記得，該問題同時具有生物與心理這二方面的要素。就你的症狀而言，最正確的作法也許是，把生物層面想成與生俱來的害羞及自我意識傾向，以及／或是一種身體的過度反應——容易臉紅、顫抖、出汗或心悸的傾向。醫藥的直接效力就是減低這些擾人的傾向。只有在藥物存在於你的系統當中時，這些直接效力才會出現。

然而，這些以生物層面爲基礎的傾向的緩解，對社交恐懼症的心理層面，也會產生間接的效力。當某種藥物減輕自我意識或身體症狀時，它促使患者以不同的方式思考及行動，使他們得以改變長久以來所學習到的無用的思考模式和習慣。這些續發性的改變有時候會維持得比藥物的直接效力長久。

譬如，過去，伊連恩習慣於感到害羞、壓抑她自己想接近她喜歡的男人的慾望、指責男人不主動找她，以及認爲自己沒有魅力。用藥似乎直接減輕她的羞怯，且讓她變得外向一些。這導致了與她過去所學習的舊模式不相符合的新結果：當她表現得外向時，她感到比較喜歡自己，而且男人對她變得較有興趣。在經歷了這些正面的經驗數個月之後，她逐漸『拋棄』了一些舊觀念，再也不認爲自己無助以及缺乏魅力，而且發現，採取主動會帶來更好的結果。當她在接受一年的治療之後停止用藥時，她留意到自己的害羞傾向又變大了。然而她的新態度並沒有改變，她了解到，她能夠藉由面對害羞來克服它，而非棄械投降。

伊連恩的經驗相當典型。在一段獲得信心以及丟棄舊恐懼的用藥時期之後，一旦停用藥物，一部分的症狀通常會復發。有些人能夠維持或超越藥物所帶給他們的改善。另外一些人則是重新回到用藥前的出發點。倘若是後者的情形，他們可能選擇回復用藥一段較長的時間，或是增加某種心理療法來達到更持久的改善。

## 問：長期服用這些藥物有無危險性？

答：普遍用來治療社交恐懼症的醫藥類，已經在市面上流通大約七到三十五年的時間，因此我們必須依據所服用的個別藥物來做判斷。大多數這些藥物上市以來，就被一些人一直使用到現在。這些藥物的長期使用尚未被證實與嚴重的健康問題有所牽連。然而，非需要不服用這些藥物，應該還是明智之舉。一個判斷方法是，試著在用藥六到十二個月之後或是改善漸趨穩定之後，停用該藥物。最適當的療程長度可能大大的因人而異。

**問：如果藥物對我的社交恐懼症有效，這是否意味著我的腦內化學物質不平衡？**

答：『化學物質不平衡』這個用語本身就有問題。其中一點是，對我們來說，『不平衡』聽起來似乎相當嚴重，這三個字《韋伯斯特辭典》將它定義為『錯亂』。除了語義學和佛洛依德學派的語病之外，人腦對某一特殊療法（像是醫藥或心理治療）有了回應，似乎並未告訴我們多少有關病因的訊息。譬如，一個對強迫性精神官能症患者所做的腦顯像研究顯示，醫藥療法和行為療法這兩種性質相異的治療，當它們有效時，都會引起腦內區域活動的改變。不管造成社交恐懼症的是生活事件、遺傳，或是這二者的結合，它都有可能反映於患者的腦內化學作用上面，雖然我們目前的科技無法在個別的病患身上，有意義的發現這樣的不同點。

**問：在懷孕期間，這些藥物的風險如何？**

答：由於懷孕或授乳期間服用這些藥物的風險，尚未被完全知曉，因此婦女應該在這兩個時期避免服用這些藥物。生育年齡的婦女最好在服用這些藥物的期間以及之前，施行可靠的避孕措施。然而，萬一服用這些藥物的婦女不小心懷了孕，傷害胎兒的風險一般來說並不大。此時，應該在醫師的建議下，逐漸停用藥物。服用這些藥物的男人，其配偶生出具有天生缺陷的嬰兒的風險，並不會增大。

**問：我應該選擇醫藥、心理療法，還是雙管齊下，來治療我的社交恐懼症？**

答：我們所擁有的比較這兩種療法的有限資料顯示，治療社交恐懼症的最佳藥物和最佳心理治療，大致上一樣有效。醫藥的效力可能較快，而且可能帶來較戲劇性的改善，不過心理療法在治療完成之後，卻比較有持久的力量。然而，就目前而言，我們並沒有明顯的事實來預測，哪些人最適合哪一種療法。比較醫藥和心理治療的研究現今正在進行著，可能得以在將來釐清這一點。病患往往在該用何種療法這件事情上有很強的直覺，他們往往會訴諸於他們比較喜歡的療法。我們的看法則是如此：

對大多數人來說，在治療不複雜的社交恐懼症時，單單嘗試短期的心理治療，乃是最明智的第一個步驟。心理治療有數個明顯的優點。心理治療的過程需要病患的自我幫助，這一點往往會使患者特別有成就感。努力掙來的進步，可以比科技的解決之道（如醫藥）建立更強的自信。另一個選擇這條途徑的好理由是，證據顯示，短期的認知—行爲療法可以產生長期的好處。

在努力運用認知—行爲療法數個月之後，重新做個評估將會很有用。如果病情已經有些進展，那麼你也許可以給該療法更多的時間或是再加上藥物療法。倘若毫無進展，或是恐懼導致患者無法執行認知—行爲療法的『社交暴露』家庭作業，那麼考慮用藥乃是理所當然的事情。要不然，假使更深的心理問題出現成爲阻礙，那麼也許可以考慮在療法上增加一條較以病識感爲取向的心理動力學療法。

在以下數種情況之下，醫藥顯然是優先選擇的療法。其中一個是實質性憂鬱症的存在，這可能會使患者無法積極的投入心理治療之中。另一個是當極度懼怕的場合很罕見的發生時——例如，一輩子只有一次的事情，像是在台上獲頒退休人員獎。在這樣的情況下，一個人可能較想尋求最簡單的短期解決之道，也就是服一帖藥劑。

另一個用藥優先的可能狀況是，當社交恐懼症很嚴重時。對這樣的患者而言，嘗試心理治療感覺起來，可能像是在生物現象的湍流中划船。當社交恐懼症很嚴重時，藥物可能勝於心理療法。

藥物與認知—行爲療法的結合，對某些人來說最有效，而且可能會有加成性作用。藥物能夠減輕恐懼，致使人們能在處理他們所懼怕的場合時，進展得迅速一些。認知—行爲療法則能夠以心理途徑來鞏固這些獲益，讓它們比較不會在患者停藥之後消失掉。

## 問：我如何才能找到一位擅長用藥物治療社交恐懼症的醫師？

答：有關社交恐懼症的新資訊和新療法已經逐漸爲醫師們所知曉，不過病患不能一廂情願的以爲，某位醫師或甚至精神科醫師一定跟得上該領域的潮流。如果你已經有一位精神科醫師，你大可直接了當的問他或她，是否知道如何治療社交恐懼症。如果不是，那麼請專家爲你介紹醫師將會很有幫助。

## 問：有社交恐懼症的孩童該不該服用藥物？

答：有越來越多的證據顯示，患有嚴重社交恐懼症的孩童，能夠從服用『幫助有社交恐懼症的成人』的藥物獲益。罹患選擇性不語症的孩童不會在自己家庭以外的地方開口說話，原因往往是由於極度的害羞。這些孩童可能很難讓治療師『下手』。在一個對患有選擇性不語症的孩童的對照研究中，十二個星期的Proazc療法多少對孩童有些幫助，且其副作用只有一點點。對選擇性不語症做這樣的藥物治療，甚至有可能預防甚至更危險的情緒問題，以免它們在這些小孩的身上發展或長存。

然而，對患有輕微社交焦慮的孩童而言，訴諸於藥物療法將會傳遞給孩子們錯誤的訊息——他或她的問題相當嚴重以及用藥是解決社交問題的首要方法。萬一中度嚴重的社交恐懼症已經干擾到課堂的表現以及阻礙友誼和社交技巧的發展，那麼答案在這些孩子的身上就沒有那麼肯定了。心理治療當然應該被率先嘗試，而且在孩子身上嘗試藥物的門檻，應該比成人的高。這些藥物對孩童的安全性尚未被百分之百的肯定。不過如果某一心理治療對一個小孩子無效，這並不意味著，不需要再考慮其他管道。從以前到現在，包括健康專業人員在內的成人，都傾向於忽視他們在成人身上都不能忍受的情形類似的孩童的痛苦。倘若其他療法無法奏效，而且倘若社交恐懼症正嚴重影響到孩童的運作功能，短期的藥物療法有可能把孩子帶回正軌，使孩子有正常的社交發展。這是一個需要更多深入研究的區域。

# 前景

至於未來，你的工作不是預知它，而是實現它。

——聖埃克蘇佩里，一九四八

對社交焦慮或社交恐懼症患者而言，未來顯得比現在光明。最近十年來，這些問題越來越受到研究人員與心理衛生專業人士的注意。由於人們對社交恐懼症的認識更深，所以有更多的患者了解到，無論是自助或被人幫助，都是可行的管道。更新、更有效的治療方法正被更廣泛的應用著。大多數人正爲自己提供治療以及學習如何克服他們的恐懼。

## 問題仍然存在

然而，依舊有許多問題留待研究與治療經驗的解答。我們的社交恐懼症療法，距離完美還有一段很長的路要走——它們通常有用，不過就跟大部分如憂鬱症和糖尿病等慢性疾病的療法一樣，它們很少能夠徹底治癒。在預測哪一種療法會對哪一個患者最合適方面，我們也是還有許多需要學習的地方。譬如，團體療法最後可能會被證實對演講恐懼症最有幫助，或是某一種藥物對容易顫抖的病患最有效力。如果我們可以確定『能夠預測一個人對行爲療法或某種特殊藥物如何反應』的特定行爲、症狀模式，或是荷爾蒙在血液中的含量，我們將得以一開始便選對最有效的療法。

我們也不知道理想的療程長度。雖然我們的短期療法產生不錯的短期結果，但長期結果卻未被研究得如此透徹。問題的所在是，雖然社交恐懼症通常爲一輩子的問題，大部分的療法往往只被研究了數星期到數個月之久。最近的研究顯示，認知－行爲療法特別能夠導致長期的病情進展，這也許是因爲，它傳授處理技巧，以至於患者在正式的療法結束之後，還可以繼續使用。爲什麼有些人在短暫的藥物療法停止之後，還能夠維持該療法所帶來的改善，而其他人則是病情復發，這一點很值得我們探索。雖然長期研究傾向於更貴，而且更難執行，我們仍然需要以長遠的角度來了解病患的運作狀況——在短期療法本身結束數月或數年之後。

大部分對治療的努力，都是從社交恐懼症那邊遭受最多痛苦和傷害的一群人身上——年輕的成年人得來的。雖然年輕成年人是最可能尋求治療的年齡群，他們卻往往延宕尋求治療社交焦慮的幫助長達大約十年之久，直到他們再也無法忍受爲止。我們很想深入了解，社交恐懼症是如何開始的，及是什麼致使大多數孩童及青少年能獨力克服正常的社交恐懼。

學習如何辨認較可能罹患社交恐懼症的孩童，也許可以爲我們創造預防社交恐懼症的契機。父母、老師和小兒科醫師可以學會辨認這些孩童，且以有助益的方式來修正他們與這些孩子之間的接觸。向正在應付社交焦慮的青少年和成人，傳播自助的方法，也許是另一條防範這些恐懼發展成嚴重的社交恐懼症的管道。防患於未然將有可能省下大量人類的痛苦，而且還可以節省稍後治療嚴重問題的花費。

社交恐懼症大部分的遺傳及生物根基，仍然保有很大的神秘感。我們擁有也許可以導向診斷及治療新途徑的線索。如腦顯像等新科技正一一的冒出來，且在不斷的進步當中，這些現象意味著對腦功能及對腦機能障礙的了解革命性的進展。前途看好的新藥，像是可逆性的MAOIs，需要在社交恐懼症治療中被進一步測試，好確認它們的助益。

## 社會的選擇

然而，我們的社會到底有無意願提供資源，來幫助社交焦慮問題的預防及治療，則是另一回事。伴隨著精神疾病的恥辱，依舊無所不在，而且由於缺乏對正視這些問題的大聲疾呼，心理衛生問題傾向於被人們所忽略。在一個政府刪減整體預算——以及他們對醫療服務的全面花費——的時代，精神衛生的研究，尤其顯得脆弱。儘管人們越來越能夠認知，嚴重的社交恐懼症對大衆健康有極大的衝擊，然而即使是在精神衛生專業人士之間，社交恐懼症仍然受到普遍的低估與誤解。

不像其他的生理疾病，以及甚至不像一些其他的精神疾病，社交恐懼症缺乏一群願意爲爭取他人對此一問題的注意而奮鬥的人。或許這是由於社交恐懼症患者往往受苦於信心低落以及有話不敢直說，所自然產生的後果，不過這個情形不需要總是如此。較具規模心理衛生機構，像是『美國焦慮病症協會』和『擺脫恐懼』等單位，已經在加緊脚步，倡導對社交恐懼症與其他焦慮問題（如恐慌症和強迫性精神官能症）的承認。倘若近幾年來的進展想要持續下去，那麼提倡社交焦慮問題的治療的一夥人，將需要組織得更好一點，以督促政府、私人基金會，以及大學，奉獻出適量的資源在這些問題上面。

總是把它的經濟實力投注於宣傳那些它們已經發展出藥物的病症的診斷與治療的製藥業，到了最近才開始把注意力移轉到社交恐懼症上面。在美國，對社交恐懼症藥物的早期研究，都是由『國立精神衛生研究院』所資助的醫學院精神病學家所做的。現在既然製藥業摩拳擦掌，想要在該領域的藥物製造分一杯羹，那麼它也必須負責將所獲利益的一部分，用來幫助罹患這種病症的人。

『幫人們辨認出一個可治療的問題』的這個目標，既可造福該工業本身，又能夠裨益社會大衆。製藥業此時適合在『教育人們這些問題的本質』以及『支持科學家的研究工作』這二方面，扮演人道的角色。當製藥公司為了銷售治療社交恐懼症的藥物，著手在一些國家尋求藥物管理機構的核准之際，一些工業資源正開始往社交恐懼症研究與教育的方向流動。

製藥業在促進人們對某種病症與它的療法的覺知的過程中，會產生的一個風險是，該工業可能傾向於忽視獲利較小的藥物或是另類的非藥物途徑，像是認知—行為療法。保險公司和醫療管理組織也可能施加不當的壓力，要醫師們開出最便宜、時間最短的療法。然而，如果病患不滿意他們所接受的無效療法以及如果當治療不完全的問題惡化或復發，導致公司到頭來花掉更多的資源時，那麼這樣的策略最終將會產生自食惡果。最近為其他心理精神（像是強迫性精神官能症）所做的醫藥行銷活動，已經了解到，必須傳播所有治療管道的資訊，才能建立良好的公共關係。總體而言，製葯界的利益也已經在這點上造福了社會大衆。

## 知識的風險

社交恐懼症的認知與治療，就如新的治療科技般，也帶著某些風險。一個基本問題是，是不是所有的社交焦慮問題都需要治療。雖然很少人會反對提供幫助給嚴重的社交恐懼症患者，但假使某人只是有輕微的社交焦慮問題呢？較輕微的社交恐懼問題會與正常社交生活的日常活動融合在一塊。如果我們提倡社交恐懼症的認知與治療，我們是否同時也把臉紅的新娘、緊張的合唱團男孩，以及容易害羞的學步兒童『病態化』呢？

社交恐懼症療法似乎不可能被沒有嚴重情緒問題的人們過度使用。在『藥物治療』章，我們討論到有人擔心，如Proazc等藥物可能會被當作『化粧品』，用來消除人們個性上的小皺紋。然而，我們最有效的社交恐懼症療法，並未如媒體所說的那麼容易施行。即使是最新突破的藥物，還是往往會有擾人的副作用、只是部分有效，而且可能相當的昂貴。我們最有效的心理療法，也需要患者實質的努力以及一個願意接受承認一些焦慮和困窘風險的意願，好克服就長遠而言更令人痛苦的問題。這些努力並非隨便應付就可以做到。而目前的情形是，其實只有極少數的社交恐懼症患者，會尋求治療。

儘管有嚴重社交恐懼症的人們所接受的治療往往不夠，社交焦慮輕微到只會造成小困擾而無傷害的人們，最好只是學習接受他們在這種體質的敏感性就可以了。一個對這樣的自我接受的實質威脅，乃是西方社會中正在增長的壓力，驅使人們一心想要表現出其實無法達到的理想的社交行爲。科技與媒體已經把外表、演講，以及社交風度的表面完美形象，傳播到每一個小村落中。我們越來越像是住在一個充滿完美形象的虛擬實境當中。迫使人們『表演』的社交壓力，可能大到令人無法忍受。

在這樣的環境當中，對眞實但不完美的人際關係的栽培法，可不可能成爲一門失傳的藝術——只是另一門被大型工廠的裝配線所威脅的家庭工業？抑或是未來由電腦驅動的地球村，變成一個由科技把形形色色的人們帶得更緊密的地方，進而醞釀出一種新的社交容忍；過去於階級分明、社交規律嚴苛的村落中肆虐的社交壓力，從此不見蹤影？

## 電腦社會

電腦社會往往被不善社交的『電腦癡』，看成是一個想法比他容貌和社交風度更重要的地方。當擁有自己的一套社交禮數的電腦空間，變成一個越來越重要的人際交往場時，社會價值觀的改變會不會也因此朝同一個方向邁進？傳統的社交技巧是否可能逐漸失去它們一部分的重要性呢？

現今，人們可以跟只是經由送往電腦螢幕的文字和圖像而認識的人們，進行持續的人際關係互動，甚至虛擬性愛。個人的外表與演講風格，對這些人際關係來說，都無關緊要。那麼由『電腦癡所發動的復仇行爲』，可不可能藉由使外表、社交技巧和表演都失去重要性，來改造社會呢？一個更可能發生的情形似乎是，整個社會將逐漸改造電腦空間，來助長盛行的社會價值觀與潮流。

『微軟』主席比爾．蓋茲把科技視爲一條能使人們變得更親近的良性途徑。在他的著作《新．擁抱未來》一書中，他提到他如何透過電子郵件，與另一個城市的某位小姐維持男女關係。他描述他們倆如何藉由在各自的城市中，用行動電話計劃同時觀賞同一部電影，而得以『一塊看電影』，之後他們再透過行動電話來討論該部電影。他並沒有提到，這位小姐如何看待這種相當不浪漫的電子『約會』，不過他倒是有保證，未來的虛擬約會將會更棒，因爲看完電影之後，還可以來一場電視會議！

我們已經看到虛擬社交生活所導致的第一波強烈反彈。電腦空間社區的評論家，像是《電腦社會》一書的作者史蒂夫．瓊斯，認爲線上社區缺乏奉獻的精神以及對他人的了解，而且它們將永遠無法取代眞實生活中的社區。有社交焦慮問題的人們有可能利用電腦空間來逃避必修的社交技巧，寧願屈就於虛擬的人際關係之中，而不願耕耘於較難控制但最終將更令人滿意的眞實關係。

另一方面，適度的造訪電腦空間，有可能幫助人們克服他們的社交恐懼。電腦空間中研討團體的匿名，可以提供某種程度的情緒安全感，讓社交焦慮患者開始敢於發言、試著對別人表達他們的意見，以及獲得能夠增強自信心的正面回應，如在團體心理治療中所能達到的。如此一來，暴露於社交電腦空間，將可作爲在進入眞實社交場合之前，建立信心的一個過渡時期。

同樣的，已被應用於幫忙懼高症患者克服對高度的恐懼的『虛擬實境模擬器』，也許可以在社交恐懼症的治療過程中，扮演著不輕的角色。它們可以針對社交恐懼症患者的需要，發展成患者所懼怕的社交場合，像是對一群觀衆演講。依據患者恐懼的嚴重程度，模擬器可以被設定成人數不同的觀衆群，而觀衆的反應也可以被預先設定，從不斷的鼓掌與起立歡呼，到毫無表情或甚至打幾個哈欠的反應都有。然而，在虛擬實境或電腦空間裡所建立的信心，到底有多容易移轉到眞實的表演及人際關係之中，這個問題還是有待觀察。

不管前景如何，目前人們在了解社交焦慮方面已經獲得了可觀的進展。在我們對社交恐懼症的診斷與治療的研究中，以及更重要的，在我們的病患的人性反應中，我們看到了此一進展。對抗伴隨情緒問題的舊恥辱以及處理現代社會所產生的新壓力等種種挑戰，的確令人望而卻步，而且還有許多問題留待解答。然而，無論社會朝哪一個方向演進，現今已經存在著我們能夠運用的新知識基礎，得以紓解最人性化的恐懼所帶給人們的苦難。

國家圖書館出版品預行編目資料

把害羞藏起來／富蘭克林・史克尼爾（Franklin Schneier），勞倫斯・威寇伍茲（Lawrence Welkowitz）合著；王介文譯. --初版. --臺北市：平安文化，民86
面；公分.--（平安叢書；第0065種）（自我成長系列；9）
譯自：THE HIDDEN FACE OF SHYNESS.
ISBN 957-803-091-6（平裝）

1.畏懼 2.社交—心理方面

176.526 86014185

平安叢書第〇〇六五種
自我成長系列 9

# 把害羞藏起來

THE HIDDEN FACE OF SHYNESS

作　者—富蘭克林・史克尼爾（Franklin Schneier）
勞倫斯・威寇伍茲（Lawrence Welkowitz）
發 行 人—平雲
出版發行—平安文化有限公司
台北市敦化北路一二〇巷五〇號
電話◉七一六八八八八
郵撥帳號◉一八四二〇八一—五號
登 記 證—局版臺業字第六四九四號
編輯督導—朱亞君
責任主編—孟繁珍
英文主編—余國芳
責任編輯—甘珊君
英文編輯—莊靜君
美術設計—王瓊瑤
校　對—何錦雲・甘珊君・徐惠蓉
印 刷 者—世和印製企業有限公司
台北縣中和市錦和路五三號地下一、二樓
電話◉二二三三八六六
著作完成日期—一九九六年（民85）
初版出版日期—一九九七年（民86）十二月二十日
◉法律顧問—蕭雄淋律師・王惠光律師

電腦編號◉平378009
國際書碼◉ISBN 957-803-091-6
Printed in Taiwan
本書定價◉新台幣240元